À ma femme, Patricia,
ma compagne dans la vie,
et
mes fils bénis
Gregory, Jr. et Joshua

Que Ton Règne Vienne
Volume 3

Les Ennemis du Royaume

Table des matières

Que Ton Règne Vienne
La Personne de Lucifer

1er juillet

Les ennemis du royaume

VERSET CLÉ
« Notre Père qui es aux cieux! Que ton nom soit sanctifié;
que ton règne vienne » (Matthieu 6:9-10).

Nous avons étudié dans le volume 1 la nature du Royaume de Dieu. Nous avons vu que c'est un pays doté d'une capitale, d'un palais, d'un bureau présidentiel, d'un trône, et qu'à partir de là, Dieu gouverne l'univers. Dans le volume 2, nous avons vu de près les premiers habitants du Royaume de Dieu : les anges. Ce sont des êtres spirituels avec différents niveaux de puissance et de responsabilité. Dieu les a mis à notre disposition pour nous servir, nous protéger et nous aider alors que nous faisons avancer le Royaume de Dieu sur la terre; ils sont nos alliés spirituels.

Maintenant, nous allons tourner nos yeux vers les ennemis du Royaume. S'il y a des alliés qui nous aident à faire avancer le Royaume de Dieu, il y a aussi des ennemis qui résistent à nos efforts. Nous devons savoir qui ils sont et comment ils fonctionnent pour être efficaces dans notre lutte contre eux. Quand nous aurons terminé, nous devrions être en mesure de dire comme l'Apôtre Paul : *« Car nous n'ignorons pas ses desseins* [Satan] *»* (2 Corinthiens 2:11 LSG). Satan ne veut pas que son royaume soit dévoilé.

Demandez au Seigneur de vous donner dès maintenant du discernement spirituel pour comprendre les vérités que nous sommes sur le point de partager avec vous au nom de Jésus.

Prière
Dieu Père, je prie pour avoir du discernement spirituel afin de comprendre les vérités sur le royaume de Satan. Je le reçois au nom de Jésus, amen.

Application

De quelle(s) manière(s) vos efforts pour faire avancer le royaume de Dieu se manifestent-ils dans votre vie quotidienne?

Entendre la voix de Dieu

_____

_____

_____

_____

_____

_____

_____

_____

_____

La Bible en un an
Psaume 92 - Psaume 100

2 juillet

Questions troublantes

VERSET CLÉ

« Notre Père qui es aux cieux! Que ton nom soit sanctifié; que ton règne vienne » (Matthieu 6:9-10).

Pour comprendre les motivations et les méthodes de Satan, nous devrions nous référer au premier chapitre de la Genèse, qui dit ceci: *«Au commencement, Dieu créa les cieux et la terre. La terre était informe et vide: il y avait des ténèbres à la surface de l'abîme, et l'Esprit de Dieu se mouvait au-dessus des eaux.»* (Genèse 1:1-2 LSG). Ces mots, bien qu'ils semblent être simples, contiennent beaucoup de questions problématiques.

Premièrement, le texte dit que la terre était *«informe et vide»*. Pourquoi était-elle ainsi? Deuxièmement, il indique qu'il y avait *«des ténèbres à la surface de l'abîme»*. D'où venaient ces ténèbres ? Troisièmement, il dit que l'Esprit de Dieu *«se mouvait au-dessus des eaux»*. « D'où est-ce que l'eau est venue? Quatrièmement, il affirme que l'Esprit de Dieu se déplaçait sur la surface des profondeurs, ce qui sous-entend, la présence d'une fosse. Qu'est-ce qui a créé cette fosse?

Au cours de notre étude, nous fournirons des réponses bibliques à ces questions. Des réponses qui ébranleront les croyances que vous avez depuis longtemps. Vous devriez donc prier pour obtenir de l'intelligence spirituelle. Priez maintenant!

Prière

Seigneur, en cette saison, pour comprendre les vérités qui vont se déployer, remplis-moi de ton intelligence spirituelle au nom de Jésus, je te prie. Amen.

Application

Comment pensez-vous que les vérités auxquelles vous êtes sur le point d'être exposé vont enrichir votre parcours spirituel avec le Seigneur?

Entendre la voix de Dieu

_____

_____

_____

_____

_____

_____

_____

_____

_____

La Bible en un an
Psaume 101 - Psaume 103

3 juillet

L'état des lieux de la Terre à la création

VERSET CLÉ
« *Notre Père qui es aux cieux! Que ton nom soit sanctifié; que ton règne vienne* » (Matthieu 6:9-10).

Pour comprendre le premier chapitre de la Genèse, nous devons réaliser qu'il existe deux types de création. Premièrement, il y a la création *ex-nihilo,* qui signifie créer à partir de rien; deuxièmement, il existe la création *ex materia,* qui signifie créer à partir de quelque chose. Jean chapitre 1 décrit le premier type de création. Il dit: "*Au commencement était la <u>Parole</u>, la Parole était avec Dieu, et la Parole était Dieu. [2] Elle était au commencement avec Dieu. [3] <u>Toutes choses</u> ont été faites par <u>elle</u>, et rien de ce qui a été fait n'a été fait sans <u>elle</u>.* (Jean 1:1-3 LSG).

Remarquez que le dernier verset dit: «*<u>Toutes choses</u> ont été faites par <u>elle</u>, et rien de ce qui a été fait n'a été fait sans <u>elle</u>.*» Dans ce texte en particulier, il s'agit de la création à partir de rien. Genèse chapitre 1, cependant, décrit le deuxième type de création. Il se réfère à une création *ex materia,* ce qui signifie à partir de quelque chose. Si vous regardez attentivement Genèse chapitre 1, vous vous rendrez compte que Dieu, lorsqu'Il avait commencé le processus de création, les ténèbres étaient déjà là, l'eau était déjà là, et une fosse existait déjà. Une version de la Bible déclare: "*Au commencement Dieu créa les cieux et la terre. La terre était informe et vide: il y avaitdes ténèbres á la surface de l'abîme, et l'Esprit de Dieu se mouvait au-dessus des eaux. Di dit:Que la lumière soit! Et la lumière fut.*" (Genèse 1:1-3 LSG). Le chapitre premier de la Genèse présente en fait une re-création de la terre après qu'elle soit devenue un désert, une désolation.

Dieu a la capacité de transformer les déserts en oasis. Dieu fera quelque chose de beau avec votre vie!

Prière

Mon Créateur et Maître, aujourd'hui, je m'abandonne à toi comme l'argile dans la main du potier. Prends ma vie, façonne-moi et moule-moi pour en faire quelque chose de beau. Je te prie au Nom de Jésus, amen

Application

Comment allez-vous commencer à exprimer votre gratitude aujourd'hui pour l'oasis que Dieu a fait de votre vie?

Entendre la voix de Dieu

_____

_____

_____

_____

_____

_____

_____

_____

_____

La Bible en un an
Psaume 104 - Psaume 105

4 juillet

La Terre était un lieu désolé

VERSET CLÉ

« Notre Père qui es aux cieux! Que ton nom soit sanctifié;
que ton règne vienne » (Matthieu 6:9-10).

Nous avons expliqué précédemment que la création décrite dans Genèse chapitre 1 n'est pas la première, ou l'originale, à laquelle Jean fait allusion dans Jean chapitre 1, mais plutôt une re-création de celle-ci. La version Darby déclare: *«Au commencement Dieu créa les cieux et la terre. Et la terre était désolation [tohu] et vide [va bohu], et il y avait des ténèbres sur la face de l'abîme. Et l'Esprit de Dieu planait sur la face des eaux»* (Genèse 1:1-2 Darby).

Le mot "désoler" signifie "transformer en un endroit désert et sans vie par des ravages." Une autre traduction dit: *«Au commencement Dieu créa le ciel et la terre. [2] La terre était un chaos [tohu], elle était vide [bohu] ; il y avait des ténèbres au-dessus de l'abîme, et le souffle de Dieu tournoyait au-dessus des eaux»* (Genèse 1:1-2 NBS).

Pourquoi la terre était-elle désert? Une chose est sûre; Dieu ne l'a pas créée de cette façon. Il y a deux raisons à cette conviction: Premièrement, elle va à l'encontre de la nature de Dieu. Moïse dit: *«Il est le rocher; ses œuvres sont parfaites»* (Deutéronome 32:4 LSG). Si Dieu créait une désolation, alors son œuvre ne serait pas parfaite. Deuxièmement, dans sa Parole, Dieu a dit qu'Il n'a pas créé le monde comme une désolation. Ésaïe déclare: *«Voici ce que déclare l'Eternel qui a créé le ciel, lui qui est Dieu, et qui a fait la terre, qui l'a formée et affermie, il ne l'a pas créée à l'état chaotique [tohu], mais il l'a façonnée pour que l'on y habite : « Moi, je suis l'Eternel; il n'y en a pas d'autre »* (Ésaïe 45:18 SEM).

Dieu n'a pas créé le monde à l'état chaotique et n'a pas non plus créé votre vie dans cet état! Refusez toutes formes de chaos dans votre vie. Je déclare que votre vie sera valide et utile dans la main de Dieu , au nom de Jésus!

Prière

Dieu Père, au nom de Jésus, je réprouve toutes formes de chaos qui existent dans ma vie à cause du péché. Amen.

Application

Quelle(s) mauvaise(s) habitude(s) pouvez-vous identifier comme un chaos dans votre vie aujourd'hui et comment allez-vous commencer à transformer ce chaos en beauté ?

Entendre la voix de Dieu

_____

_____

_____

_____

_____

_____

_____

_____

_____

La Bible en un an
Psaume 106 - Psaume 107

5 juillet

Comment la Terre est devenue un lieu désolé

VERSET CLÉ

*« Notre Père qui es aux cieux! Que ton nom soit sanctifié;
que ton règne vienne »* (Matthieu 6:9-10).

Donc, si Dieu n'a pas créé le monde comme un lieu chaotique ou désolé, d'où cela vient-il ? L'expression pour désolation est *tohu va-bohu*. Cette expression n'est utilisée que trois fois dans les Écritures: Genèse 1:2 ; Ésaïe 34:11 ; Jérémie 9:23. Pour comprendre le sens de Genèse 1:2, examinons les deux autres passages.

Tout d'abord, considérons Esaïe. Le prophète dit: *« Car c'est un jour de vengeance pour l'Éternel, Une année de représailles pour la cause de Sion. [9] Les torrents d'Édom seront changés en poix, Et sa poussière en soufre ; Et sa terre sera comme de la poix qui brûle. [10] Elle ne s'éteindra ni jour ni nuit, La fumée s'en élèvera éternellement ; D'âge en âge elle sera désolée, A tout jamais personne n'y passera. [11] Le pélican et le hérisson la posséderont, La chouette et le corbeau l'habiteront. On y étendra le cordeau de la desolation* [tohu]*, Et le niveau de la destruction* [bohu]*»* (Isaïe 34:8-11 LSG).

Remarquez que le verset commence par mentionner la vengeance de Dieu sur Israël. Alors il dit, il deviendra un lieu de *désolation* [tohu]*,* et de *destruction* [bohu]*.* Le verset relie clairement *tohu va-bohu* au jugement divin. Quant au prophète Jérémie, il dit : *« J'ai regardé la terre, et voici, elle était désolation* [tohu] *et vide* [bohu]*, et vers les cieux, et leur lumière n'était pas. [24] J'ai regardé les montagnes, et voici, elles se remuaient, et toutes les collines branlaient. [25] J'ai regardé, et voici, il n'y avait pas d'homme, et tous les oiseaux des cieux avaient fui. [26] J'ai regardé, et voici, le Carmel était un désert, et toutes ses villes étaient renversées devant l'Éternel, devant l'ardeur de sa colère »* (Jérémie 4:23-26 Darby). Remarquez que Jérémie associe l'expression «informe et vide», qui est une autre traduction de *tohu va-bohu*, à la colère de Dieu. Tout comme ce fut le cas d'Israël, Jérémie utilise le terme *tohu va-bohu* pour se référer au jugement de Dieu. Ésaïe et Jérémie nous aident à comprendre que le terme utilisé dans Genèse 1:2 fait allusion au jugement divin. C'est précisément l'expression utilisée pour décrire l'état de la terre dans Genèse 1. Ce qui signifie qu'elle était sous le jugement de Dieu. Je déclare qu'il n'y aura pas de désolation dans votre vie au nom de Jésus!

Prière

Père, je te remercie aujourd'hui pour l'œuvre de Jésus-Christ sur le calvaire. Je ne suis plus sous le jugement de Dieu, mais suis bénéficiaire de sa Grâce. Au nom de Jésus, amen.

Application

Comment allez-vous vous opposer à toutes les formes de désolation dans votre vie aujourd'hui ?

Entendre la voix de Dieu

_____

_____

_____

_____

_____

_____

_____

_____

La Bible en un an
Psaume 108 - Psaume 112

Satan aime se cacher

VERSET CLÉ

« Notre Père qui es aux cieux! Que ton nom soit sanctifié;
que ton règne vienne » (Matthieu 6:9-10).

Pour comprendre le jugement qui est tombé sur la terre, nous devons étudier un ange déchu appelé à l'origine Lucifer, mais qui est devenu plus tard Satan. Avant de regarder ce que la Bible a à dire concernant cet ange, nous devons souligner qu'il aime se cacher derrière d'autres créatures. Dans le jardin d'Éden, il s'est dissimulé derrière un serpent et a tenté Adam et Ève. Pendant le ministère de Jésus, il s'est caché derrière Pierre pour dissuader Jésus d'aller à la croix au point où Jésus a dû dire à Pierre: *« Arrière de moi, Satan!»* (Matthieu 16:23, LSG). Enfin, on le voit se dissimuler en Judas. C'est pourquoi Jésus a dit: *«N'est-ce pas moi qui vous ai choisis, vous les douze? Et l'un de vous est un diable"* (Jean 6:70 LSG21). Quand vous comprendrez cette caractéristique de Satan, vous vous rendrez compte pourquoi les deux passages les plus pertinents qui se rapportent à la chute de Satan dans la Bible le dépeignent sous les traits d'une autre personnalité. Dans Ézéchiel 28, il est l'entité derrière le roi de Tyr, et dans Isaïe 14, derrière le roi de Babylone. Mais dans les deux cas, il est exposé par la Parole de Dieu. Que le Seigneur vous donne l'Esprit de discernement pour démasquer Satan, peu importe à quel point il essaie de se dissimuler.

Prière

Seigneur, donne-moi le discernement pour reconnaître où Satan se cache dans ma vie et je reçois le courage et la force de le chasser au nom de Jésus, amen.

Application

Dans quel(s) domaine(s) de votre vie sentez-vous que Satan se cache, et quel est votre plan pour le démasquer aujourd'hui?

Entendre la voix de Dieu

_____

_____

_____

_____

_____

_____

_____

_____

_____

La Bible en un an
Psaume 113 - Psaume 118

Satan s'est caché derrière le roi de Babylone

VERSET CLÉ

« Notre Père qui es aux cieux! Que ton nom soit sanctifié;
que ton règne vienne » (Matthieu 6:9-10).

Le premier passage crucial qui raconte la chute de Lucifer est dans Ésaïe 14. Au début, il est dit : *« Alors tu prononceras ce chant sur le <u>roi de Babylone</u>, Et tu diras : Eh quoi ! le tyran n'est plus ! L'oppression a cessé !»* (Ésaïe 14:4 LSG). Puis, il poursuit en disant: *«Te voilà tombé du ciel, <u>Astre brillant</u>, fils de l'aurore! Tu es abattu à terre, Toi, le vainqueur des nations! [13] Tu disais en ton coeur: Je monterai au ciel, J'élèverai mon trône au-dessus des étoiles de Dieu; Je m'assiérai sur la montagne de l'assemblée, A l'extrémité du septentrion; [14] Je monterai sur le sommet des nues, Je serai semblable au Très Haut.[15] Mais tu as été précipité dans le séjour des morts, Dans les profondeurs de la fosse»* (Ésaïe 14:12-15 LSG). Certains théologiens croient que ce passage ne s'applique qu'au roi de Babylone, tandis que d'autres croient qu'il ne s'applique qu'à Satan. En fait, il s'applique aux deux.

Jésus a appelé Pierre « Satan » (Mat. 16:23) et Judas un « diable » (Jean 6:70). La raison en est que quelqu'un, sous l'influence d'un esprit, ne fait plus qu'un avec lui (1 Cor. 6:17). *«Je voyais Satan tomber du ciel comme un éclair».* (Luc 10:18 LSG) Par conséquent, en interprétant Ésaïe 14:12 qui dit, « *Te voilà tombé du ciel, Astre brillant [Lucifer], fils de l'aurore! Tu es abattu à terre, Toi, le vainqueur des nations»,* Jésus a dit *«Je voyais Satan tomber du ciel comme un éclair»* (Luc 10:18). Jésus est celui qui nous a révélé que celui appelé Lucifer dans l'Ancien Testament était en fait Satan.

Satan est tombé de sa position de puissance. Comme lui, beaucoup sont tombés en disgrâce aujourd'hui (Col. 5:4). Mais, quant à vous, je déclare que Celui qui est capable de vous empêcher de trébucher gardera votre foi forte!

Priez pour maintenir la grâce maintenant! (Jude 1:24).

Prière

Seigneur, je prie pour obtenir une foi inébranlable en toi, aujourd'hui et pour toujours, au nom de Jésus, amen.

Application

Comment comptez-vous éviter les pièges de Satan et les obstacles qui se dressent sur votre chemin afin d'éviter de trébucher. Quel est votre plan d'action aujourd'hui?

Entendre la voix de Dieu

_____

_____

_____

_____

_____

_____

_____

_____

La Bible en un an
Psaumes 119:1 – Psaumes 119:72

8 juillet

Satan s'est caché derrière le roi de Tyr

VERSET CLÉ

« Notre Père qui es aux cieux! Que ton nom soit sanctifié; que ton règne vienne » (Matthieu 6:9-10).

Le deuxième passage-clé qui décrit la chute de Lucifer est dans Ézéchiel 28. Au début, il dit: « Fils de l'homme, dis au <u>prince de Tyr</u> » (Ézéchiel 28:2 LSG). Puis, il poursuit en disant: « *Toi, tu étais la forme accomplie de la <u>perfection</u>, plein de <u>sagesse</u>, et parfait en <u>beauté</u> ; 13 tu as été en Éden, le jardin de Dieu ; toutes les pierres précieuses te couvraient, le sardius, la topaze et le diamant, le chrysolithe, l'onyx et le jaspe, le saphir, l'escarboucle et l'émeraude, et l'or ; le riche travail de tes tambourins et de tes flûtes était en toi ; au jour où tu fus créé ils étaient préparés.14 Tu étais un <u>chérubin oint</u>, qui couvrait, et je t'avais établi tel ; tu étais dans la sainte montagne de Dieu, tu marchais parmi les pierres de feu. 15 Tu fus parfait dans tes voies depuis le jour où tu fus créé, jusqu'à ce que l'iniquité s'est trouvée en toi.»* (Ézéchiel 28:12-15 Darby).

Le passage dit que Satan est tombé de sa position de beauté et de puissance. Encore une fois, certaines personnes veulent attribuer Ézéchiel 28 uniquement à un leader humain. Cependant, il n'en est rien. Les descriptions que nous lisons dans le passage ci-dessus ne peuvent pas être appliquées au prince de Tyr ou à tout autre être humain. Le prince de Tyr n'etait pas « la forme accomplie de la perfection »; il n'était pas «parfait en beauté». Il n'était certainement pas «parfait dans ses voies». Le passage indique très clairement qu'il s'adresse à la fois à un être humain et à un ange déchu. Il est dit: *« Tu étais un chérubin oint, qui couvrait »* (Ézéchiel 28:14 Darby). Lucifer était l'entité spirituelle derrière le prince de Tyr dans Ézéchiel 28. Dieu a fait une œuvre parfaite en Lucifer, mais il l'a compromise par la désobéissance.

La rébellion peut faire des ravages dans la vie d'une personne. Priez pour que le Seigneur vous donne un cœur obéissant aujourd'hui.

Prière

Seigneur, je rejette la rébellion de mon cœur aujourd'hui. Remplace-la par l'obéissance au nom de Jésus. Amen

Application

Quelles pratiques spirituelles allez-vous commencer à appliquer dans votre vie aujourd'hui afin que l'iniquité ne soit pas trouvée en vous ?

Entendre la voix de Dieu

_____

_____

_____

_____

_____

_____

_____

_____

La Bible en un an
Psaumes 119:73 – Psaumes 119:176

9 juillet

Lucifer est un être créé

VERSET CLÉ
« Notre Père qui es aux cieux! Que ton nom soit sanctifié; que ton règne vienne » (Matthieu 6:9-10).

La première vérité à savoir sur Lucifer est qu'il est un être créé. Le prophète dit: *«Tu fus parfait dans tes voies depuis le jour où tu fus créé, jusqu'à ce que l'iniquité s'est trouvée en toi»* (Ezéchiel 28:15, Darby). Satan n'est pas l'égal ni l'opposé de Dieu. Dieu est le Roi Souverain de l'univers, il fait ce qu'il veut (Ps. 135:6). Satan est une petite créature chétive que Dieu détruira un jour par le souffle de sa bouche (2 Thess. 2:8 LSG). Donc, nous ne devrions jamais mettre Satan sur un pied d'égalité avec Dieu. Il est un être créé que Dieu a permis de fonctionner dans le monde pendant une période de temps prédéterminée, afin qu'Il puisse lui montrer qu'il ne pourra jamais être Dieu - peu importe à quel point il aurait essayé. Maintenant, voici la bonne nouvelle: ce grand Dieu est de votre côté. Ne craignez pas, car le Seigneur est avec vous!

Prière

Dieu souverain, je me réjouis en toi aujourd'hui. Tu es pour toujours avec moi, je ne crains rien. Je prie au nom de Jésus, amen.

Application

Que commencerez-vous à faire dans votre vie dès aujourd'hui pour vous mettre en bonne position afin de prendre autorité sur Satan et ses vains rugissements?

Entendre la voix de Dieu

_____

_____

_____

_____

_____

_____

_____

_____

_____

La Bible en un an
Psaume 120 - Psaume 129

10 juillet

Lucifer a été créé parfait

VERSET CLÉ

*« Notre Père qui es aux cieux! Que ton nom soit sanctifié;
que ton règne vienne »* (Matthieu 6:9-10).

Deuxièmement, Lucifer a été créé parfait. Le prophète Ézéchiel
dit: *«Tu fus parfait dans tes voies depuis le jour où tu fus créé, jusqu'à ce
que l'iniquité s'est trouvée en toi»* (Ezéchiel 28:15, Darby). Il va plus
loin en disant: *«Tu étais la forme accomplie la perfection»* (Ézéchiel
28:12 Darby). En d'autres termes, Lucifer était si parfait qu'il
était la norme de perfection pour toutes les autres créatures.

Dieu est parfait, et toute Son œuvre est parfaite. Ainsi, Il
vous appelle aussi à la perfection aujourd'hui. Il dit: *«Soyez donc
parfaits comme votre Père céleste est parfait»* (Matthieu 5:48 LSG). La
perfection n'est pas une destination; c'est un voyage.

Un citoyen du Royaume aspire à la perfection en tout.
Demandez à Dieu de vous aider à élever votre niveau dans tous
les domaines de votre vie.

Prière

Dieu Père, comme un enfant désire être comme ses parents, je
désire être parfait comme Tu es Parfait. Au nom de Jésus, amen.

Application

Dans quel(s) domaine(s) envisagez-vous aujourd'hui de rechercher la perfection et comment ce domaine de votre vie glorifiera-t-il Dieu?

Entendre la voix de Dieu

_____

_____

_____

_____

_____

_____

_____

_____

La Bible en un an
Psaume 130 - Psaume 136

11 juillet

Lucifer a été créé intelligent

VERSET CLÉ

« Notre Père qui es aux cieux! Que ton nom soit sanctifié; que ton règne vienne » (Matthieu 6:9-10).

Troisièmement, Lucifer a été créé intelligent. La Parole de Dieu dit: *«Tu mettais le sceau à la perfection, Tu étais plein de sagesse»* (Ezekiel 28:12 LSG). La sagesse est l'intelligence sprituelle qui se manifeste par des decisions pratiques. Par conséquent, Satan a été créé intelligent. Aujourd'hui, Satan utilise au détriment des enfants de Dieu le peu d'intelligence qui lui reste. Voici ce que l'apôtre Paul dit de lui : *«Car il ne faut pas que ce soit Satan qui prenne l'avantage de la situation et qui finalement, par ses ruses, remporte la victoire. Nous ne connaissons que trop bien ses manœuvres et ses desseins »* (2 Corinthiens 2:10-11, PV). Le mot grec pour "manoeuvre et desseins», c'est «schéma» qui signifie ici «un plan bien pensé». Par conséquent, Satan peut stratégiquement concevoir la disparition d'une personne des années à l'avance. Mais je déclare que ce ne sera pas votre cas.

Prière

Seigneur, je réprouve et annule tous les plans que Satan a prévus pour ma vie au nom de Jésus, amen.

Application

Quelles sont les bonnes pratiques spirituelles que vous allez commencer à observer aujourd'hui afin d'empêcher Satan d'élaborer ses mauvais desseins dans votre vie?

Entendre la voix de Dieu

_____

_____

_____

_____

_____

_____

_____

_____

La Bible en un an
Psaume 137 - Psaume 143

12 juillet

Lucifer a été créé beau

VERSET CLÉ

« Notre Père qui es aux cieux! Que ton nom soit sanctifié; que ton règne vienne » (Matthieu 6:9-10).

Quatrièmement, Lucifer a été non seulement créé parfait et intelligent, mais il était beau aussi. La Parole de Dieu dit: *«Tu mettais le sceau à la perfection, Tu étais plein de sagesse, parfait en <u>beauté</u>.»* (Ézéchiel 28:12 LSG). Dieu est beau. David dit: *«J'ai demandé une chose à l'Eternel, je la rechercherai: c'est que j'habite dans la maison de l'Eternel tous les jours de ma vie, pour voir la <u>beauté</u> de l'Eternel et pour m'enquérir diligemment de lui dans son temple.»* (Psaumes 27:4 Darby). Ésaïe dit à Jérusalem: *«Tes yeux verront le roi dans sa <u>beauté</u>»* (Ésaïe 33:17 Darby). Puisque Dieu est beau, quand Il a créé Lucifer, Il lui a donné une partie de sa personnalité, le rendant beau. Une traduction paraphrase bien le verset. Il dit: *« ...tu mettais le sceau à perfection , tu étais plein de sagesse, et parfait en beauté »* (Ézéchiel 28:12, LSG).

En tant qu'enfant du roi, vous êtes beau/belle vous aussi. Vous devez vous regarder dans le miroir et dire: *« Je suis une créature si merveilleuse»* (Psaume 139:14). Allez-y, faites-le maintenant!

Prière

Seigneur, merci de m'avoir créé à ton image. Je suis une créature merveilleuse. Amen.

Application

Quels sont les mensonges notoires de l'ennemi que vous allez commencer à rejeter aujourd'hui en ce qui concerne votre apparence?

Entendre la voix de Dieu

_____
_____
_____
_____
_____
_____
_____
_____

La Bible en un an
Psaume 144 - Psaume 150

Lucifer a été créé comme un être « musical »

VERSET CLÉ

« Notre Père qui es aux cieux! Que ton nom soit sanctifié; que ton règne vienne » (Matthieu 6:9-10).

En plus d'être parfait, intelligent et beau, Dieu a créé Lucifer comme un être « musical ». En d'autres termes, il est doué pour la musique. Le son et le rythme étaient gravés dans son ADN. Le prophète Ezéchiel dit: *«Tu as été en Éden, le jardin de Dieu ; toutes les pierres précieuses te couvraient, le sardius, la topaze et le diamant, le chrysolithe, l'onyx et le jaspe, le saphir, l'escarboucle et l'émeraude, et l'or ; le riche travail de tes tambourins et de tes flûtes était en toi ; au jour où tu fus créé ils étaient préparés.* (Ézéchiel 28:13 Darby). Remarquez que les tambourins et les flûtes étaient à l'intérieur de lui. Le « tambourin » représente le rythme, et les « flûtes » représentent la mélodie et l'harmonie. Toutes ces facultés ont été placées à l'intérieur de lui.

Dieu a placé la musique en Lucifer parce qu'Il voulait qu'il soit un adorateur. Dieu a fait de même pour nous. La Bible dit que nous devons nous entretenir *« par des psaumes, par des hymnes, et par des cantiques spirituels, chantant et célébrant de tout votre cœur les louanges du Seigneur ».* (Éphésiens 5:18 LSG).

Les citoyens du Royaume sont des adorateurs. Ils prêtent allégeance au Roi des rois et Seigneur des seigneurs. Demandez à Dieu de vous aider à rester dans un esprit d'adoration aujourd'hui.

Prière

Roi des rois et Seigneur des seigneurs, je t'adore aujourd'hui avec tout ce que je suis et tout ce que j'ai. Au nom de Jésus, amen.

Application

Qu'allez-vous faire aujourd'hui pour cultiver une vie d'adoration et de dévotion au Seigneur ?

Entendre la voix de Dieu

_____

_____

_____

_____

_____

_____

_____

_____

La Bible en un an
Proverbe 1 – Proverbe 3

14 juillet

Lucifer a été créé puissant

VERSET CLÉ
« Notre Père qui es aux cieux! Que ton nom soit sanctifié; que ton règne vienne » (Matthieu 6:9-10).

En plus d'être parfait, intelligent, beau et musical, Dieu a créé Lucifer puissant. La Parole dit: *«Tu étais un <u>chérubin oint</u>... et je t'avais établi tel»* (Ézéchiel 28:14 Darby). Le mot «chérubin» apparaît plus de 70 fois dans la Bible. Seul Lucifer est décrit comme un «chérubin oint». L'onction est un autre terme pour la Puissance du Saint-Esprit. La Bible dit: *«Dieu a <u>oint</u> d'Esprit Saint et de <u>puissance</u> Jésus de Nazareth, qui allait de lieu en lieu en faisant le bien et en guérissant tous ceux qui étaient sous l'oppression du diable; car Dieu était avec lui »* (Acts 10:38 SEGR). En d'autres termes, en plus du pouvoir que Lucifer avait en tant que chérubin, il était également doté de la Puissance du Saint-Esprit. Vous avez la puissance de Dieu dans votre vie. Les citoyens du Royaume utilisent leur puissance pour glorifier Dieu. Comment utilisez-vous la votre ?

Prière
Seigneur, au nom de Jésus, que la Puissance de Dieu en moi glorifie son nom aujourd'hui et pour toujours. Amen.

Application

Comment allez-vous commencer à utiliser la Puissance et l'influence que Dieu vous a donnés pour le glorifier et faire avancer son Royaume ?

Entendre la voix de Dieu

_____

_____

_____

_____

_____

_____

_____

_____

_____

La Bible en un an
Proverbe 4 – Proverbe 6:11

Lucifer avait accès au trône de Dieu

VERSET CLÉ

« Notre Père qui es aux cieux! Que ton nom soit sanctifié; que ton règne vienne » (Matthieu 6:9-10).

Enfin, Lucifer était l'un des anges les plus élevés du ciel. Il avait un accès direct à la Présence de Dieu. Le Seigneur dit, *«Je te fais disparaître, chérubin protecteur, Du milieu des pierres étincelantes.»* (Ezekiel 28:16 LSG). La pierre étincelante représente la Présence de Dieu. Le psalmiste dit: *«L'Eternel tonna dans les cieux, Le Très-Haut fit retentir sa voix, Avec la grêle et les charbons de feu.»* (Psaumes 18:13 cf. Ézéchiel 1:13). Satan avait accès à la Présence de Dieu. Il l'avait pris à la légère; par conséquent, il a perdu ce privilège.

Quelle que soit la durée de notre marche avec le Seigneur, nous ne devrions jamais prendre sa Présence pour acquise. Nous devrions toujours considérer sa Présence comme une grande faveur. Remerciez Dieu pour sa Présence dans votre vie.

Prière

Dieu le Père, je te remercie pour ton Saint-Esprit. Ta Présence est le paradis pour moi, amen.

Application

Que signifie la Présence de Dieu pour vous et quelles mesures prenez-vous pour la protéger dans votre vie?

Entendre la voix de Dieu

_____

_____

_____

_____

_____

_____

_____

_____

_____

_____

La Bible en un an
Proverbe 6:12 – Proverbe 8:36

Lucifer était un fils

VERSET CLÉ

« Notre Père qui es aux cieux! Que ton nom soit sanctifié;
que ton règne vienne » (Matthieu 6:9-10).

Nous avons vu comment Lucifer a été créé. Nous allons maintenant examiner sa position. Soulignons d'emblée que les anges sont généralement appelés fils de Dieu. Dans le livre de Job, Dieu dit: *« Qui en a fixé les dimensions, le sais-tu? Ou qui a étendu sur elle le cordeau? [6] Sur quoi ses bases sont-elles appuyées? Ou qui en a posé la pierre angulaire, [7] Alors que les étoiles du matin éclataient en chants d'allégresse, Et que tous les fils de Dieu poussaient des cris de joie?* » Job 38:4-7 LSG). Les anges dans ces passages sont appelés fils de Dieu. Ainsi, en tant qu'ange, Lucifer était aussi un fils. Le livre de Job dit aussi: « *Or, les fils de Dieu vinrent un jour se présenter devant l'Éternel, et Satan vint aussi au milieu d'eux.* » (Job 1:6-7 LSG). Dieu a accordé à Lucifer le statut de fils lorsqu'il l'a créé. Ce dernier l'a perdu et est devenu un adversaire. Comme Absalom, les fils peuvent perdre leur statut et devenir des ennemis du royaume. À ce moment-là, une fin terrible les attend. Demandez à Dieu de vous aider à toujours, garder votre cœur à la bonne place.

Prière

Dieu Père, en tant que fils dans ton Royaume, sonde mon cœur et vois si je suis sur une mauvaise voie et conduis-moi sur la voie de l'éternité. Je te prie au nom de Jésus, amen.

Application

Que commencerez-vous à faire aujourd'hui pour vous assurer que votre cœur soit protégé et reste à la bonne place ?

Entendre la voix de Dieu

_____

_____

_____

_____

_____

_____

_____

_____

_____

La Bible en un an
Proverbe 9 – Proverbe 11

Lucifer habitait la Terre

VERSET CLÉ

« Notre Père qui es aux cieux! Que ton nom soit sanctifié;
que ton règne vienne » (Matthieu 6:9-10).

L'habitat d'origine de Lucifer était la terre! Quand il a péché contre le Seigneur, il n'était pas dans le ciel mais ici-bas. Difficile à croire ? Lisez attentivement les paroles d'Isaïe: *«Comment es-tu tombé du ciel, astre brillant (Lucifer), fils de l'aurore ? Comment as-tu été abattu à terre, toi qui foulais les nations ? [13] Tu disais en ton cœur : Je monterai aux cieux, je placerai mon trône au-dessus des étoiles du Dieu fort ; je serai assis en la montagne d'assignation , aux côté d'Aquilon ».* (Ésaïe 14:12-13 Osterwald).

Observez bien: au moment où Lucifer péchait, il n'était pas au ciel. Il a dit: *«Je monterai aux cieux.* « Cela implique qu'il était au-dessous du ciel. En d'autres termes, sur terre. Considérons quelques parallèles. Moïse dit au sujet de la loi: *«Ce commandement que je te prescris aujourd'hui n'est certainement point au-dessus de tes forces et hors de ta portée. [12]Il n'est pas dans le ciel, pour que tu dises : Qui montera pour nous au ciel et nous l'ira chercher, qui nous le fera entendre, afin que nous le mettions en pratique ? »* (Deutéronome 30:11-12 LSG). De même, David a écrit: *«Où irais-je loin de ton esprit, Et où fuirais-je loin de ta face ? [8] Si je monte aux cieux, tu y es ; Si je me couche au séjour des morts, t'y voilà.»* (Psaumes 139:7-8 LSG). Moïse et David avaient utilisé tous deux l'expression «monter au ciel», mais quel en est le fil conducteur? Ils étaient tous les deux sur terre. La vision de Jacob dans Béthel fournit une compréhension plus claire. Il dit: *«Il eut un songe. Et voici, une échelle était appuyée sur la terre, et son sommet touchait au ciel. Et voici, les anges de Dieu montaient et descendaient par cette échelle.* (Genèse 28:12 LSG). Comme les exemples ci-dessus nous le montrent, lorsque la Bible utilise le terme «monter au ciel», c'est du point de vue de la terre.

Donc, quand Satan dit: «*Je monterai au ciel*», cela signifie qu'à ce moment-là, il était sur la terre. Aujourd'hui, la terre nous appartient, à vous et à moi (Psaumes 11:16). Remercions Dieu pour cela.

Prière

Dieu de la création, merci de m'avoir donné la terre pour que je puisse y habiter, la cultiver et la dominer. Amen.

Application

La terre est un don de Dieu pour vous et moi. Quel rôle jouez-vous pour préserver ce don ?

Entendre la voix de Dieu

_____

_____

_____

_____

_____

_____

_____

_____

_____

La Bible en un an
Proverbe 12 – Proverbe 14

18 juillet

Lucifer était roi de la Terre

VERSET CLÉ
*« Notre Père qui es aux cieux! Que ton nom soit sanctifié;
que ton règne vienne »* (Matthieu 6:9-10).

Lucifer n'habitait pas seulement sur la terre, il y régnait. Relisez le texte: *«Tu disais en ton cœur : Je monterai au ciel, J'élèverai mon trône au-dessus des étoiles de Dieu»* (Ésaïe 14: 12-13). Ainsi, Lucifer avait un trône sur terre. Aujourd'hui, nous savons tous ce qu'est un trône; c'est le siège exécutif d'un roi. Ainsi, Lucifer, avant sa chute, n'a pas seulement habité sur la terre, mais il la gouvernait.

De même, en tant que citoyens du royaume, Dieu n'a pas seulement fait de nous des fils, mais aussi des rois. La Bible dit que Christ *« a fait de nous un royaume, des sacrificateurs pour Dieu son Père»* (Apocalypse 1:6 LSG). La vertu essentielle d'un roi est la sagesse. *« Moi, la sagesse, j'ai pour demeure le discernement »* , dit le livre des Proverbes. *Par moi les rois règnent, Et les princes ordonnent ce qui est juste »* (Proverbes 8:12-15 LSG). Priez pour que Dieu vous accorde une sagesse surnaturelle pour le leadership dès maintenant!

Prière
Père, par le Christ, tu m'as fait roi et prêtre ; répands sur moi une sagesse surnaturelle pour diriger au nom de Jésus, amen.

Application

Dans quel domaine spécifique de votre vie pensez-vous avoir besoin de la sagesse de Dieu et comment cette vertu vous aidera-t-elle ?

Entendre la voix de Dieu

_____

_____

_____

_____

_____

_____

_____

_____

_____

La Bible en un an
Proverbe 15 – Proverbe 16

19 juillet

Lucifer avait un royaume terrestre

VERSET CLÉ

« Notre Père qui es aux cieux ! Que ton nom soit sanctifié; que ton règne vienne » (Matthieu 6:9-10).

Nous avions vu que Lucifer était un roi terrestre, mais apparemment, il régnait sur une civilisation développée. Ésaïe 14 implique qu'il y avait des villes pré-adamiques et même des nations ! Le prophète dit: *«Alors tu prononceras ce chant sur le roi de Babylone, Et tu diras : Eh quoi ! le tyran n'est plus ! L'oppression a cessé 5 L'Éternel a brisé le bâton des méchants, La verge des dominateurs. 6 Celui qui dans sa fureur frappait les peuples, Par des coups sans relâche, Celui qui dans sa colère subjuguait les nations, Est poursuivi sans ménagement».* *(Esaïe 14:4-6)*

Le prophète poursuit et parle de la chute de Satan aux versets 12-15. Il dit ensuite dans les versets suivants: *«Ceux qui te voient fixent sur toi leurs regards, Ils te considèrent attentivement : Est-ce là cet homme qui faisait trembler la terre, Qui ébranlait les royaumes, [17] Qui réduisait le monde en désert, Qui ravageait les villes, Et ne relâchait point ses prisonniers ? [18] Tous les rois des nations, oui, tous, Reposent avec honneur, chacun dans son tombeau.»* (Esaïe 14:16-18 LSG). Ésaïe a mentionné les villes, les nations et les royaumes au moment de la chute. Puis il poursuit en appelant Lucifer celui qui a gouverné les nations dans sa colère. Nous verrons la cause de cette colère plus tard.

En tant que roi, Dieu veut aussi livrer des villes, des nations et des royaumes entre vos mains. Ce que vous devez faire, c'est de demander! *«Demande-moi, dit-il, et je te donnerai les nations pour héritage, Les extrémités de la terre pour possession »* (Psaumes 2 :8, LSG).

Priez pour que Dieu vous donne de l'influence dans votre ville, dans votre nation et dans le monde en ce moment.

Prière

Dieu Tout-Puissant, en tant que roi et prêtre, je prie pour avoir de l'influence dans ma famille, ma communauté et ma nation au nom de Jésus, amen.

Application

Comment votre leadership influence-t-il ceux qui vous entourent, et sur quel point allez-vous commencer à travailler pour améliorer votre leadership aujourd'hui ?

Entendre la voix de Dieu

_____

_____

_____

_____

_____

_____

_____

_____

_____

La Bible en un an
Proverbe 17 – Proverbe 19

20 juillet

Lucifer était un prêtre dans le ciel

VERSET CLÉ

« Notre Père qui es aux cieux! Que ton nom soit sanctifié; que ton règne vienne » (Matthieu 6:9-10).

Lucifer n'était pas seulement un roi terrestre, mais aussi un prêtre céleste. Nous le voyons dans la façon dont il était habillé au ciel. La Parole de Dieu dit: *«Tu étais en Éden, le jardin de Dieu ; Tu étais couvert de toute espèce de pierres précieuses, De sardoine, de topaze, de diamant, De chrysolithe, d'onyx, de jaspe, De saphir, d'escarboucle, d'émeraude, et d'or ; Tes tambourins et tes flûtes étaient à ton service, Préparés pour le jour où tu fus créé.»* (Ézéchiel 28:13 LSG). Pourquoi ce détail est-il important? Parce que les pierres qui recouvraient le vêtement de Lucifer étaient les mêmes que celles qui recouvraient le vêtement du grand prêtre dans l'Ancien Testament. Voici ce que Dieu a dit à Moïse au sujet du vêtement d'Aaron : *« Tu feras le pectoral du jugement (...) [17]Tu y enchâsseras une garniture de pierres, quatre rangées de pierres : première rangée, une sardoine, une topaze, une émeraude; [18] seconde rangée, une escarboucle, un saphir, un diamant; [19] troisième rangée, une opale, une agate, une améthyste; [20] quatrième rangée, une chrysolithe, un onyx, un jaspe. Ces pierres seront enchâssées dans leurs montures d'or. »* (Exode 28:15-20 LSG).

Ainsi, Lucifer a été recouvert des mêmes pierres précieuses que celles qui devaient recouvrir Araon. Cela signifiait qu'il fonctionnait comme un grand-prêtre dans le ciel.

De même, Dieu n'a pas seulement fait de vous un roi, mais Il a aussi fait de vous un sacrificateur. Encore une fois, la Bible dit que Christ *« nous a faits rois et sacrificateurs de Dieu son Père»* (Apocalypse 1:6 LSG). Prenez du temps de votre journée pour servir Dieu tous les jours. C'est pour cela que vous avez été créé!

Prière

Dieu Père, qui suis-je pour être fait roi et prêtre? Je t'honore aujourd'hui avec mon vêtement de grâce et ma couronne de joyaux. Au nom de Jésus, je te loue. Amen.

Application

En tant que prêtre de Dieu, pensez-vous remplir adéquatement vos fonctions sacerdotales envers le Seigneur, ou comment pouvez-vous mieux le faire dans votre ministère ?

Entendre la voix de Dieu

_____

_____

_____

_____

_____

_____

_____

_____

_____

La Bible en un an
Proverbe 20 – Proverbe 22

21 juillet

Lucifer officiait le culte dans le ciel

<u>VERSET CLÉ</u>
*« Notre Père qui es aux cieux ! Que ton nom soit sanctifié;
que ton règne vienne »* (Matthieu 6:9-10).

La deuxième indication que Lucifer était un prêtre est qu'il était impliqué dans le culte. La Bible dit que des instruments de musique ont été préparés pour lui au moment de sa création (Eze. 28:13). Dans le tabernacle de David ainsi que dans le temple de Salomon, jouer de la musique dans le temple était la responsabilité des lévites. Ainsi, nous lisons dans le livre des Chroniques, « *Et David dit aux chefs des <u>Lévites</u> de disposer leurs frères les <u>chantres</u> avec des <u>instruments de musique</u>, des luths, des harpes et des cymbales, qu'ils devaient faire retentir de sons éclatants en signe de réjouissance.* » (1 Chroniques 15:16 LSG). Comme les lévites davidiques, Lucifer avait la responsabilité de présenter l'adoration à Dieu. Le prophète Ézéchiel dit : « *Tes tambourins et tes flûtes étaient à ton service, Préparés pour le jour où tu fus créé.* » (Ézéchiel 28:13 LSG). Satan était un lévite musicien.

Nous aussi, nous sommes prêtres de Dieu, et en tant que tels, le sacrifice le plus important que nous puissions Lui apporter est l'adoration. L'auteur de l'épître aux Hébreux dit : *«Par lui, offrons sans cesse à Dieu un acrifice de louange c'est-à-dire le fruit des lèvres qui confessent son nom.»* (Hébreux 13:15 LSG).

Nous ne louons pas seulement Dieu quand nous en avons envie, nous le faisons à tout moment. Louez le Seigneur maintenant !

Prière

Seigneur, que ma vie soit un instrument vivant de louange devant Toi. Amen.

Application

De quelle(s) manière(s) votre culte à Dieu peut-il s'approfondir et s'élever vers de nouveaux sommets, devenant ainsi plus significatif pour Lui aujourd'hui ?

Entendre la voix de Dieu

_____

_____

_____

_____

_____

_____

_____

_____

La Bible en un an
Proverbe 23 – Proverbe 24

22 juillet

Lucifer échangeait les bénédictions de Dieu contre l'adoration

VERSET CLÉ

« Notre Père qui es aux cieux! Que ton nom soit sanctifié; que ton règne vienne » (Matthieu 6:9-10).

En tant que roi-prêtre, Lucifer avait une responsabilité particulière, qui était le «commerce». Esaïe dit : *«Par la grandeur de ton <u>commerce</u>, Tu as été rempli de violence , et tu as <u>péché</u> ; Je te précipite de la montagne de Dieu, Et je te fais disparaître chérubin protecteur, Du milieu des pierres étincelantes.»* (Ezéchiel 28:16 LSG). Le texte indique que Lucifer échangeait quelque chose et que cette chose l'a amené à pécher. Le mot «commerce» signifie «échange», en d'autres termes, donner quelque chose et recevoir quelque chose d'autre. Lucifer se tenait entre Dieu et la création. Il donnait quelque chose à la création au nom de Dieu et recevait quelque chose de la création pour la rendre à Dieu.

La nature du commerce de Lucifer est révélée par son double rôle de roi et de prêtre. Quel était son rôle en tant que roi ? David répond à cette question. Il dit : *«O_Dieu, donne tes <u>jugements</u> au roi, Et ta <u>justice</u> au fils du roi!»* (Psaumes 72:1 LSG). Selon ce texte, le premier rôle du roi est de recevoir les jugements de Dieu, c'est-à-dire ses décisions juridiques, ou encore sa volonté. Ainsi, la première responsabilité de Lucifer était de connaître la volonté de Dieu pour la terre.

La deuxième responsabilité est de «juger le peuple en toute justice». En d'autres termes, il était censé proclamer et faire appliquer la décision de Dieu sur la terre. Puis, David ajoute : *«Les montagnes et les coteaux produiront la <u>prospérité</u> pour le peuple, par l'effet de la <u>justice</u>.»* (Psaume 72:3 Osterwald). Lorsque le peuple obéit aux paroles de Dieu, il prospère. Ainsi, en tant que roi, Lucifer était censé transmettre la Parole de Dieu au peuple pour qu'il soit béni.

Maintenant, les bénédictions de Dieu sur le peuple les amèneraient à adorer Dieu. David dit, *«Car à l'Éternel appartient le règne : Il domine sur les nations. [29]Tous les puissants de la terre mangeront et se prosterneront aussi...»* (Psaumes 22:28-29 LSG). De même que les prêtres d'Israël devaient, plus tard, apporter le culte de la nation au temple, il incombait à Lucifer, en tant que grand prêtre de la création, d'apporter le culte de la nation à Dieu. En somme, Lucifer était censé échanger des bénédictions contre l'adoration. En tant que roi, il était appelé à apporter la bénédiction de Dieu au peuple et, en tant que prêtre, à ramener l'adoration obtenue du peuple à Dieu.

Nous qui sommes rois dotés de la puissance de Dieu, nous devons savoir que Dieu nous utilisera puissamment pour bénir les autres. Lorsqu'il le fera, ces personnes auront tendance à nous rendre la gloire. Il incombe à nous, qui sommes prêtres, de transmettre cette gloire à Dieu. Demandez à Dieu, dès maintenant, de vous donner un cœur d'humilité.

Prière

Dieu tout-puissant, TOUTE la gloire te revient aujourd'hui et pour toujours ! Amen.

Application

Dieu vous a-t-il utilisé puissamment pour bénir quelqu'un ? Quelle a été votre attitude ? Avez-vous donné à votre tour la gloire à Dieu ? Priez et demandez à Dieu de vous donner un cœur et une attitude humbles.

Entendre la voix de Dieu

_____

_____

_____

_____

_____

_____

_____

_____

_____

La Bible en un an
Proverbe 25 – Proverbe 28

23 juillet

Lucifer a commencé à convoiter l'adoration de Dieu

VERSET CLÉ
« Notre Père qui es aux cieux! Que ton nom soit sanctifié; que ton règne vienne » (Matthieu 6:9-10).

Le travail de Lucifer en tant que prêtre consistait à présenter l'adoration des nations devant le trône de Dieu au Ciel. Mais à un moment donné, il a commencé à convoiter cette adoration. Il a commencé à se dire : «Je suis parfait», «Je suis beau», « Je suis intelligent», « Je suis puissant», «Pourquoi ne puis-je pas avoir une partie de cette adoration ? ». À ce moment-là, il a enfreint une loi fondamentale. Le Seigneur dit : *« Je suis l' Eternel; c'est là mon nom, je ne donnerai pas ma gloire à un autre, Ni mon honneur aux idoles »* (Ésaïe 42:8 LSG).

Y a-t-il un domaine de votre vie où vous volez la gloire de Dieu ? Demandez au Saint-Esprit de vous parler et de vous le révéler.

Prière
Saint-Esprit de Dieu, révèle-moi un domaine de ma vie où je m'approprie la gloire de Dieu.

Application

Pensez à un ou plusieurs domaines dans lesquels vous êtes doué ou très compétent, vous volez la gloire de Dieu en vous attribuant le mérite de votre réussite?

Entendre la voix de Dieu

_____
_____
_____
_____
_____
_____
_____
_____

La Bible en un an
Proverbe 29 – Proverbe 31

24 juillet

Lucifer s'est mis en colère

VERSET CLÉ

« Notre Père qui es aux cieux! Que ton nom soit sanctifié;
que ton règne vienne » (Matthieu 6:9-10).

Nous avons étudié la naissance et la position de Lucifer ; nous allons maintenant nous pencher sur sa chute. Alors que Lucifer échangeait les bénédictions de Dieu contre l'adoration, il a commencé à désirer une partie de cette adoration. Ezéchiel dit : *«Tu as été intègre dans tes voies, Depuis le jour où tu fus créé Jusqu'à celui où l'iniquité a été trouvée chez toi.»* Puis il poursuit en expliquant la cause de son iniquité. Il dit : *« Par la grandeur de ton commerce Tu as été rempli de violence, et tu as péché »* (Ezéchiel 28:15-16 LSG). Le prophète affirme que Lucifer s'est rempli de violence. Être violent signifie «utiliser la force». À un moment donné, Lucifer a commencé à penser à utiliser la violence pour atteindre son objectif. L'envie mène à la colère, et la colère mène à la violence. De qui êtes-vous envieux ? Écoutez la voix du Saint-Esprit et repentez-vous.

Prière

Saint-Esprit, Toi qui sonde le plus profond de mon être, révèle-moi clairement mes tendances envieuses. Je te le demande au nom de Jésus. Amen

Application

Prenez un moment et demandez au Saint-Esprit de vous révéler si vous avez de la colère, de l'envie ou des sentiments de violence envers quelqu'un. Repentez-vous et demandez au Seigneur de supprimer toutes ces émotions.

Entendre la voix de Dieu

_____

_____

_____

_____

_____

_____

_____

_____

_____

La Bible en un an
Ecclésiaste 1 - Ecclésiaste 4

25 juillet

La colère de Lucifer était enracinée dans l'orgueil

VERSET CLÉ

*« Notre Père qui es aux cieux! Que ton nom soit sanctifié;
que ton règne vienne »* (Matthieu 6:9-10).

La racine profonde de l'envie, de la colère et de la violence de Lucifer était l'orgueil. Ezéchiel dit : *« Ton cœur s'est élevé à cause de ta beauté, Tu as corrompu ta sagesse par ton éclat ; Je te jette par terre, Je te livre en spectacle aux rois.»* (Ézéchiel 28:17 LSG). Lucifer est devenu orgueilleux à cause de sa belle apparence ; il est devenu arrogant à cause de sa splendeur. Il était beau et entouré de lumière. Il était si beau qu'on l'appelait le fils de l'aurore. Ce qui a rendu Lucifer orgueilleux, c'est sa beauté.

Qu'en est-il de vous? Qu'est-ce qui vous rend orgueilleux? Qu'est-ce qui vous fait croire que vous êtes supérieur aux autres? Est-ce votre apparence? Votre intelligence? Votre talent? Quoi qu'il en soit, repentez-vous-en maintenant!

Prière

Seigneur, je me repens de mon orgueil. Je suis reconnaissant d'avoir été créé à ton image. Que ma gratitude écrase mon orgueil au nom de Jésus, amen.

Application

Utilisez-vous votre apparence, votre intelligence ou votre talent pour mépriser les autres ou les dévaloriser ? Que ferez-vous différemment ?

Entendre la voix de Dieu

_____

_____

_____

_____

_____

_____

_____

_____

La Bible en un an
Ecclésiaste 5:1 - Ecclésiaste 9:12

Le cœur de Lucifer s'est corrompu

VERSET CLÉ

« Notre Père qui es aux cieux! Que ton nom soit sanctifié; que ton règne vienne » (Matthieu 6:9-10).

Ainsi donc, Lucifer s'est mis en colère et a conçu un plan pour s'emparer du royaume de Dieu par la force. Le prophète Ésaïe dit : *«Tu disais en ton cœur : Je monterai au ciel, j'élèverai mon trône au-dessus des étoiles de Dieu »* (Ésaïe 14:13-14 LSG). Premièrement, remarquez que la rébellion a commencé dans le cœur de Lucifer. Ésaïe et Ézéchiel ont tous deux souligné ce fait. Ésaïe dit : *« Tu as dit dans ton cœur... »*. Ézéchiel dit: *«Ton cœur s'est élevé»* (Ézéchiel 28:17 LSG). Tous deux affirment que le mal a commencé dans le cœur de Lucifer.

Le péché commence dans le cœur, puis a envahi la création. C'est pourquoi Salomon dit dans les Proverbes: *«Garde ton cœur plus que tout autre chose, car de lui viennent les sources de la vie»* (Proverbes 4:23, LSG). Priez dès maintenant et demandez à Dieu de vous aider à garder votre cœur.

Prière

Seigneur, par-dessus tout, aide-moi à garder mon cœur. Je prie au nom de Jésus, amen.

Application

Comment allez-vous garder votre cœur contre l'orgueil ? Quelles actions allez-vous mettre en œuvre ?

Entendre la voix de Dieu

_____

_____

_____

_____

_____

_____

_____

_____

_____

La Bible en un an

Ecclésiaste 9:13 - Ecclésiaste 12:14

Le plan de Lucifer pour s'emparer du Palais de Dieu

VERSET CLÉ

« Notre Père qui es aux cieux! Que ton nom soit sanctifié; que ton règne vienne » (Matthieu 6:9-10).

Lucifer s'est donc mis en colère à cause de son orgueil. Il a alors conçu un plan en 5 étapes pour s'emparer du royaume de Dieu. Examinons le plan qu'il a élaboré. Il dit d'abord : *«Je monterai au ciel»* (Ésaïe 14:13). Le ciel est le territoire de Dieu (Psa. 115:16). Il voulait donc s'emparer du domaine de Dieu. Deuxièmement, il dit : *«J'élèverai mon trône au-dessus des étoiles de Dieu.»* Satan en tant qu'ange était une étoile (Apoc. 1:20). Il était appelé «étoile du matin» (Ésaïe 14:12). Mais il a dit : *« Je vais élever mon trône au-dessus des étoiles. »* Par conséquent, il prévoyait d'aller au-delà des limites que Dieu lui avait données en tant que chérubin. Il voulait une position supérieure. Troisièmement, Lucifer a dit : *«Je m'assiérai sur la montagne de l'assemblée.»* A quelle montagne fait-il référence? L'auteur des Hébreux dit, *« Mais vous vous êtes approchés de la montagne de Sion , la cité du Dieu vivant, la Jérusalem céleste, des myriades qui forment le chœur des anges»* (Hébreux 12:22 LSG). Mais pourquoi veut-il cette montagne en particulier ? Parce que c'est là que se trouve le palais de Dieu. David dit : *« Belle est la colline, joie de toute la terre, la montagne de Sion; Le côté septentrional, c'est la ville du grand Roi. Dieu dans ses palais, est connu pour une haute retraite»* (Psaumes 48:1-3 LSG). Satan, dans son cœur, préparait un véritable coup d'État.

L'orgueil mène à l'envie, l'envie à la colère, et la colère à la rébellion. Demandez à Dieu de sonder votre cœur maintenant pour trouver toute semence de rébellion!

Prière

Saint-Esprit de Dieu, cherche dans mon cœur toute semence de rébellion, révèle-la moi et remplis-moi de l'esprit de puissance pour la déraciner au nom de Jésus, amen.

Application

Vous arrive-t-il de remettre en question la décision d'un leader ou d'une personne en autorité et de dire du mal d'eux ? Si c'est le cas, vous avez peut-être la semence de la rébellion dans votre cœur. Priez pour que Dieu la déracine et la remplace par son Esprit.

Entendre la voix de Dieu

_____

_____

_____

_____

_____

_____

_____

_____

La Bible en un an

Cantique des Cantiques 1 – Cantique des Cantiques 8

---

28 juillet

Lucifer projette de s'emparer du trône

VERSET CLÉ

*« Notre Père qui es aux cieux! Que ton nom soit sanctifié;
que ton règne vienne »* (Matthieu 6:9-10).

Quatrièmement, Lucifer dit: *«Je m'élèverai au-dessus des nuages.»*
Pourquoi les nuages? La brillance de la présence de Dieu est
écrasante, Il habite dans *« une lumière inaccessible, que nul homme n'a
vue ni ne peut voir...»* (1 Timothée 6:16 LSG). Non seulement les
hommes ne peuvent pas voir la Lumière de la Présence de Dieu,
mais, comme nous l'avons vu dans le volume 2, même les
séraphins, l'ordre le plus élevé des anges, doivent se couvrir le
visage lorsqu'ils s'approchent de Lui (Ésa. 6:1-3). Pour la
protection de ses créatures, Dieu se couvre d'un nuage sombre.
(Psaumes 18:11-12). Cette nuée est appelée la Shekinah de la
Gloire qui est la manifestation visible de sa Présence. Dans
l'Ancien Testament, elle était assise sur l'Arche de l'Alliance,
symbole du Trône de Dieu. C'est pourquoi Job dit: *«Il couvre la
face de son Trône, et il répand sur lui sa nuée»* (Job 26:9 LSG). Lorsque
Lucifer a dit : «Je vais m'élever au-dessus des nuages», cela
signifiait qu'il allait envahir le Trône de Dieu.

Enfin, Satan ne voulait pas seulement s'emparer de la cité de
Dieu, du palais de Dieu et du trône de Dieu; il voulait être Dieu
lui-même! C'est pourquoi il a dit: «Je serai comme le Dieu très
haut»(rf?). Pourquoi a-t-il utilisé l'expression Dieu Très-Haut?
Abraham répond à cette question. Lorsqu'il revint de la conquête
de Kedorlaomer, il dit: *« Je lève la main vers l'Éternel, le Dieu Très-
Haut, maître du ciel et de la terre»* (Genèse 14:22 LSG). Ainsi, le Dieu
Très-Haut possède le ciel et la terre. Donc lorsque Satan avait
dit: « Je serai comme le Très-Haut », il disait qu'il serait comme
celui qui possède le ciel et la terre. Satan ne voulait pas d'un
patron; il voulait le contrôle total de tout. Il était fatigué de
Sesoumettre à Dieu.

Un citoyen du royaume sait comment se soumettre aux autorités légitimes. Demandez à Dieu un Esprit de soumission.

Prière

Dieu Père, qu'un Esprit de soumission m'envahisse aujourd'hui. Je le demande au nom de Jésus, amen.

Application

Avez-vous un problème à vous soumettre à l'autorité de ceux qui sont plus jeunes que vous ou de quelqu'un qui vous semble moins qualifié ? Priez et demandez un esprit de soumission.

Entendre la voix de Dieu

_____

_____

_____

_____

_____

_____

_____

_____

La Bible en un an
Ésaïe 1 – Ésaïe 4

Lucifer recrute pour exécuter son plan

VERSET CLÉ

« Notre Père qui es aux cieux! Que ton nom soit sanctifié;
que ton règne vienne » (Matthieu 6:9-10).

Satan a conçu un plan par étapes pour renverser le gouvernement de Dieu. Afin d'exécuter son plan, il a recruté un tiers des anges et leur a demandé de le suivre. Jean dit : *«Un autre signe parut encore dans le ciel ; et voici, c'était un grand dragon rouge, ayant sept têtes et dix cornes, et sur ses têtes sept diadèmes. [4] Sa queue entraînait le tiers des étoiles du ciel, et les jetait sur la terre»* (Apocalypse 12:3-4 LSG).

Satan est passé maître dans l'art de la séduction. S'il a pu séduire les anges dans le ciel, nous ne devons pas penser qu'il ne peut pas nous tenter. Priez ! Priez ! Priez pour avoir le discernement spirituel !

Prière

Dieu Tout-Puissant, merci pour cette saison qui me permet de connaître Satan et son plan, afin que je ne sois pas une victime. Remplis-moi d'un esprit de discernement aujourd'hui, amen.

Application

Faites-vous partie d'une clique qui critique des leaders ? Utilisez-vous votre position pour mettre les gens de votre côté ? Il se peut que vous soyez utilisé pour répandre la rébellion ou peut-être vous êtes le chef de file. Repentez-vous et retirez-vous immédiatement de ce groupe.

Entendre la voix de Dieu

_____

_____

_____

_____

_____

_____

_____

_____

_____

La Bible en un an
Ésaïe 5 – Ésaïe 8

Le désir ultime de Lucifer est l'adoration

VERSET CLÉ

« Notre Père qui es aux cieux! Que ton nom soit sanctifié; que ton règne vienne » (Matthieu 6:9-10).

Lucifer a planifié un coup d'État contre Dieu. Mais quel était son but ultime ? On est tenté de dire : le pouvoir ! Oui, cela en faisait aussi partie, mais ce n'était pas l'objectif final. La tentation de Jésus a montré son véritable objectif. Lorsqu'il a tenté Jésus pendant ses 40 jours de jeûne, il l'a emmené sur une haute montagne. Puis il lui a montré tous les royaumes du monde, et il lui a dit : *« Je te donnerai toute cette puissance, et la gloire de ces royaumes ; car elle m'a été donnée, et je la donne à qui je veux. [7] Si donc tu te prosternes devant moi, elle sera toute à toi.»* (Luc 4:5-7 LSG). Satan était prêt à abandonner tout son pouvoir et ses richesses pour un moment d'adoration. Le désir ultime de Satan n'est pas le pouvoir mais l'adoration. Et cela ne le dérange pas de la recevoir par procuration. En d'autres termes, il est prêt à recevoir l'adoration à travers quelqu'un ou quelque chose d'autre. Qui ou qu'est-ce qui occupe la première place dans votre vie ? Quel qu'il soit, Satan se cachera derrière pour recevoir l'adoration tant convoitée ! C'est pourquoi la Bible dit : « Tu n'adoreras que Dieu seul ! » Demandez à Dieu de vous révéler toute forme d'idolâtrie que vous pourriez avoir dans votre cœur.

Prière

Saint-Esprit de Dieu, alors que je médite sur ta Parole aujourd'hui, révèle-moi toute forme d'idolâtrie que je pourrais avoir dans mon cœur. Au nom de Jésus, amen.

Application

Avez-vous quelque chose ou quelqu'un qui est une priorité dans votre vie par rapport à Dieu ? Que ce soit un travail, une relation, de l'argent ou le pouvoir, déclarez que toute forme d'idolâtrie doit être supprimée au nom de Jésus !

Entendre la voix de Dieu

_____

_____

_____

_____

_____

_____

_____

_____

_____

La Bible en un an
Ésaïe 9 – Ésaïe 11

31 juillet

Lucifer s'est lourdement trompé!

VERSET CLÉ

« Notre Père qui es aux cieux! Que ton nom soit sanctifié; que ton règne vienne » (Matthieu 6:9-10).

Lucifer a commis deux erreurs colossales. Premièrement, il s'est enorgueilli de sa beauté, de sa sagesse et de sa perfection. Mais il a oublié qu'il était un être créé (Eze. 28:13). Toutes ces choses lui ont donc été données (1 Cor. 4:7). Il ne se les a pas données à lui-même, c'est Dieu qui les lui a données. De plus, la créature ne peut jamais être sur le même pied d'égalité que le créateur. Deuxièmement, il a sous-estimé l'omniscience du Dieu qui sonde les cœurs et les esprits (Jér. 17:10). Ainsi, alors qu'il planifiait la révolte dans les recoins les plus profonds de son cœur, Dieu l'écoutait. Lorsqu'il recrutait un tiers des anges, l'Esprit du Seigneur veillait! (Psaumes 139:7-8). Quelle erreur catastrophique!

En tant que fils du royaume, nous devons nous rappeler que les pensées de nos cœurs ne sont pas cachées à Dieu. Vivez donc avec un cœur pur!

Prière

Dieu de la création, aujourd'hui je t'adore avec un cœur pur ! Amen.

Application

Nos pensées ne sont pas cachées à Dieu. Quelles sont les pensées qui vous empêchent d'adorer le Seigneur d'un cœur pur ? Repentez-vous-en, révoquez-les et couvrez-les du sang de Jésus.

Entendre la voix de Dieu

_____

_____

_____

_____

_____

_____

_____

_____

_____

La Bible en un an
Ésaïe 12 – Ésaïe 17

Que Ton Règne Vienne

Le Jugement de Lucifer

Le feu du coeur

VERSET CLÉ
« Notre Père qui es aux cieux! Que ton nom soit sanctifié;
que ton règne vienne » (Matthieu 6:9-10).

Le péché a pris sa source dans le cœur de Lucifer. Esaïe déclare
: « *Tu disais en ton cœur : Je monterai au ciel, j'élèverai mon trône au-dessus*
des étoiles de Dieu » (Esaïe 14:13 LSG). Puisque le mal est né de là,
le jugement de Dieu y a également commencé. Le Seigneur dit:
«Je fais sortir du milieu de toi un feu qui te dévore» (Ézéchiel 28:18 LSG).
Un cœur pécheur est un aimant pour le jugement divin. Vous ne
pouvez pas abriter le mal dans votre âme et vous attendre à ce
qu'il ne vous fasse pas de mal. C'est pourquoi David a prié : *«Crée*
en moi un cœur pur, renouvelle en moi un esprit bien disposé» (Psaumes
51:12 LSG). Priez cette même prière maintenant.

Prière
Seigneur, crée en moi un cœur pur et purifie-moi pour la gloire
de ton Nom. Je prie au nom de Jésus, amen.

Application

Sachant que le péché a son origine dans le cœur et que Dieu juge les intentions de notre cœur. Prenez le temps de demander à Dieu de créer en vous un cœur pur et écrivez ce que le Saint-Esprit vous révèle.

Entendre la voix de Dieu

_____

_____

_____

_____

_____

_____

_____

_____

_____

La Bible en un an
Ésaïe 18 – Ésaïe 22

Du parfait au profane

VERSET CLÉ

« Notre Père qui es aux cieux! Que ton nom soit sanctifié; que ton règne vienne » (Matthieu 6:9-10).

Satan est devenu l'opposé de tout ce qu'il était et rêvait d'être. Avant sa chute, il était parfait. Ézéchiel a dit: *«Tu as été intègre dans tes voies depuis le jour où tu fus créé»* (Ézéchiel 28:15 LSG). Il a même dit: *«tu étais un modèle de <u>perfection</u>.»* (Ézéchiel 28:12 BDS). Mais après, le prophète a noté: *«Tu as été rempli de violence, et tu as péché »* (Ézéchiel 28:16 LSG). Et il ajoute : *«Par la multitude de tes <u>iniquités</u>, tu as profané tes sanctuaires »* (Ézéchiel 28:18 LSG). À la suite de son péché, le Seigneur dit : C'est pourquoi *« je te précipite de la montagne de Dieu »* (Ézéchiel 28:16 LSG). Lucifer a été créé comme un *«modèle de perfection »* mais est devenu, par le pouvoir de sa propre volonté, *«<u>une chose profane</u> »*.

De même, Dieu a donné à chacun de nous une volonté . Nous devons faire attention à la façon dont nous l'utilisons. Notre volonté peut nous rapprocher ou nous éloigner de Dieu. Priez pour que Dieu vous donne aujourd'hui un cœur obéissant.

Prière

Père Dieu, je veux un coeur pur. Enseigne-moi comment obtenir un coeur purifié chaque jour.

Application

Dieu nous a donné la volonté, nous avons la liberté de faire ce qui est bien et ce qui est mal. Quelles sont les choses que vous ferez aujourd'hui pour vous éloigner du péché? Ecrivez votre réponse.

Entendre la voix de Dieu

_____

_____

_____

_____

_____

_____

_____

_____

La Bible en un an
Ésaïe 23 – Ésaïe 27

De la beauté à la monstruosité

<u>VERSET CLÉ</u>
*« Notre Père qui es aux cieux! Que ton nom soit sanctifié;
que ton règne vienne »* (Matthieu 6:9-10).

Lucifer était le chef-d'œuvre de Dieu. Ézéchiel dit: «*Tu étais plein de sagesse, parfait en beauté*» (Ézéchiel 28:12 LSG). Cependant, sa splendeur est devenue pour lui une pierre d'achoppement. «*Ton cœur, dit le prophète, s'est élevé à cause de ta beauté*» (Ézéchiel 28 :17 LSG). Par conséquent, il a été condamné à devenir un monstre. Le prophète dit : « *Tous ceux qui te connaissent parmi les peuples sont dans la stupeur à cause de toi ; tu es réduit au néant, tu ne seras plus à jamais !* » (Ézéchiel 28:19 LSG). Nous aussi, nous sommes spirituellement beaux, mais nous le restons tant que nous reflétons la gloire de Dieu. La Bible dit: «*Nous tous qui, le visage découvert, contemplons comme dans un miroir la gloire du Seigneur, nous sommes transformés en la même image, de gloire en gloire*» (2 Corinthiens 3:18 LSG). La présence de Dieu nous embellit. Demandez à Dieu que vous restiez dans sa Présence chaque jour.

Prière

Père Dieu, aujourd'hui je viens contre tout ce qui, dans ma vie, m'éloigne de ta Présence. Amen.

Application

La Présence de Dieu dans nos coeurs nous embellit le visage. Ecrivez deux choses que vous ferez aujourd'hui pour vous assurer que cette Présence demeure dans votre vie. Ecrivez votre réponse.

Entendre la voix de Dieu

_____

_____

_____

_____

_____

_____

_____

_____

_____

La Bible en un an
Ésaïe 28 – Ésaïe 31

De l'intelligence à la stupidité

VERSET CLÉ
*« Notre Père qui es aux cieux! Que ton nom soit sanctifié;
que ton règne vienne »* (Matthieu 6:9-10).

Lucifer a été créé comme un être très intelligent. La Parole de Dieu dit : « *Tu mettais le sceau à la perfection, tu étais plein de sagesse...* » (Ézéchiel 28:12 LSG). Cependant, quand il a péché, il a abdiqué son intelligence et est devenu stupide. Le prophète dit: «*Ton cœur s'est élevé à cause de ta beauté ; tu as corrompu ta sagesse...*» (Ézéchiel 28:17 LSG). Satan opère actuellement avec une sagesse imparfaite et une intelligence corrompue. Par conséquent, il commet souvent de graves erreurs. Il pensait que tuer Jésus-Christ était le plus grand pas de sa carrière, mais c'était la plus grosse bavure de sa vie. C'est pourquoi la Parole dit : «*Nous prêchons la sagesse de Dieu (...) sagesse qu'aucun des chefs de ce siècle n'a connue, car, s'ils l'eussent connue, ils n'auraient pas crucifié le Seigneur de gloire.*» (1 Corinthiens 2:7-8 LSG).

Puisque Satan fonctionne avec une intelligence défectueuse, vous et moi, par la sagesse du Saint-Esprit, pouvons déjouer ses plans. Priez pour obtenir cette sagesse dèsmaintenant. Je déclare la sagesse de Dieu sur votre vie à compter aujourd'hui!

Prière

Père Dieu, je reçois ta sagesse aujourd'hui! Au nom de mon Seigneur et Sauveur, je suis rempli de ses sept esprits. Amen.

Application

Rester loin du péché nous garanti d'avoir la sagesse de Dieu. Avoir la sagesse de Dieu est une source inestimable pour prendre de bonnes décisions. Ecrivez trois décisions importantes que vous allez prendre aujourd'hui. Prenez note de ce que vous dit le Saint Esprit.

Entendre la voix de Dieu

_____

_____

_____

_____

_____

_____

_____

_____

_____

La Bible en un an
Ésaïe 32 – Ésaïe 36

Du respect au mépris

VERSET CLÉ
*« Notre Père qui es aux cieux! Que ton nom soit sanctifié;
que ton règne vienne »* (Matthieu 6:9-10).

Lucifer, en tant que « *chérubin oint* », était très respecté au Ciel. Il dirigeait le corps d'élite qui gardait le shekinah de la Gloire (Ezéchiel 28:16); cependant, quand il a péché, il est devenu une créature méprisable. Le prophète Esaïe s'écrie : « *Ceux qui te voient fixent sur toi leurs regards, ils te considèrent attentivement: est-ce là cet homme qui faisait trembler la terre, qui ébranlait les royaumes?* » (Esaïe 14:16 LSG). Tant que Lucifer était en la présence de Dieu, il était respecté, mais quand il est tombé il est devenu un objet de mépris. La communion avec Dieu produit le caractère, et le caractère conduit au respect ou gloire. La Parole de Dieu dit: « *Car l'Eternel Dieu est un soleil et un bouclier, l'Eternel donne la grâce et la gloire* » (Psaumes 84:12 LSG).

Nous avons la gloire tant que nous marchons avec Dieu, mais lorsque nous nous éloignons de Lui, nous sommes étonnés de voir à quel point il est facile pour nous de tomber. Demandez au Seigneur de vous aider à maintenir votre vie d'intimité avec Lui.

Prière

Seigneur Dieu, mon désir le plus profond est de marcher en intimité avec toi. Je te remercie parce que tu es mon soleil et mon bouclier. Au nom de Jésus je te prie. Amen.

Application

Le respect se gagne dans la présence de Dieu et non dans nos efforts humains. Y a-t-il quelqu'un dont vous voulez gagner le respect? Priez dès maintenant pour que cette personne puisse voir la présence de Dieu dans votre vie, puis contactez-la et faites-lui savoir que vous avez prié pour elle. Écrivez sa réaction ci-dessous.

Entendre la voix de Dieu

_____

_____

_____

_____

_____

_____

_____

_____

La Bible en un an
Ésaïe 37 – Ésaïe 40

Du plus haut au plus bas point

VERSET CLÉ
« Notre Père qui es aux cieux! Que ton nom soit sanctifié;
que ton règne vienne » (Matthieu 6:9-10).

Lucifer voulait s'asseoir sur le trône le plus élevé, mais il a été jeté dans l'enfer le plus bas. Il a dit dans son cœur : « *Je m'assiérai sur la montagne de l'assemblée, à l'extrémité du septentrion* » (Ésaïe 14:13 LSG), ce qui signifie le lieu le plus élevé. Cependant, Dieu a dit : tu seras «*précipité dans le séjour des morts, dans les profondeurs de la fosse*» (Esaïe 14:15 LSG). Après sa rébellion, l'enfer est devenu la résidence officielle de Satan. Jésus l'a dit clairement: «*Quiconque s'élève sera abaissé, et celui qui s'abaisse sera élevé* » (Luc 14:11 LSG). N'essayez pas de vous promouvoir; travaillez à être fidèle. Dieu s'occupera de la promotion. Demandez à Dieu de vous donner un cœur de fidélité et d'humilité.

Prière

Père Dieu, aide-moi à détourner mes yeux de mon ego et à me concentrer sur le fait d'être fidèle et humble devant toi. Amen.

Application

Pour éviter de tomber au fond, nous devons cultiver la fidélité et l'humilité. Prenez quelques minutes pour réfléchir au nombre de fois où vous avez voulu faire votre propre promotion. Écrivez ce que vous ferez différemment à partir d'aujourd'hui pour éviter ce comportement dangereux.

Entendre la voix de Dieu

_____

_____

_____

_____

_____

_____

_____

_____

La Bible en un an
Ésaïe 41 – Ésaïe 43

Des pierres de feu à un lit de vers

VERSET CLÉ

*« Notre Père qui es aux cieux! Que ton nom soit sanctifié;
que ton règne vienne »* (Matthieu 6:9-10).

Satan a touché le fond lorsqu'il a essayé de remplacer Dieu. Le prophète dit: *«Ta magnificence est descendue dans le <u>séjour des morts</u>, avec le son de tes luths; Sous toi est une <u>couche de vers</u>, et les vers sont ta couverture.* » (Esaïe 14 :11 LSG). Lucifer marchait sur des pierres de feu, et maintenant il est allongé sur un lit d'asticots; il portait des pierres précieuses, il porte maintenant un vêtement de vers. De même, la désobéissance nous dégrade. Un croyant rebelle est comme un *«tombeau blanchi à la chaux»*. Il est beau à l'extérieur, mais à l'intérieur, il est « *plein d'ossements de morts* » (Matthieu 23:27 LSG). Demandez au Seigneur de faire de vous un véritable croyant. Oui, demandez-Lui de vous donner un cœur qui Lui est vraiment soumis.

Prière

Père Dieu, remplace dans ma vie le lit d'asticots par le soleil et le bouclier et le vêtement des vers par la gloire et la louange. Au nom de Jésus. Amen

Application

SOUMSSION, c'est le mot clé pour aujourd'hui. Y a-t-il quelque chose que Dieu ou vos dirigeants vous demandent et qu'il vous est difficile de faire? Parlez-en sincèrement en prière avec Dieu, demandez-lui le pardon et la stratégie pour éviter ce sentiment. Écrivez ce que vous dit l'Esprit.

Entendre la voix de Dieu

_____

_____

_____

_____

_____

_____

_____

_____

La Bible en un an
Ésaïe 44 – Ésaïe 47

Le jugement du royaume de Satan

VERSET CLÉ
« Notre Père qui es aux cieux! Que ton nom soit sanctifié;
que ton règne vienne » (Matthieu 6:9-10).

Lorsque la colère de Dieu s'est enflammée contre Lucifer, cela n'a pas seulement affecté sa personne, mais tout son royaume, à savoir la terre. Le prophète Jérémie dit: *« Je regarde la terre, et voici, elle est informe et vide [tohu va bohu]; Les cieux, et leur lumière ont disparu. [24] Je regarde les montagnes, et voici, elles sont ébranlées; et toutes les collines chancellent. [25] Je regarde, et voici, il n'y a point d'homme; et tous les oiseaux des cieux ont pris la fuite. [26] Je regarde, et voici, le Carmel est un désert; et toutes ses villes sont détruites, devant l'Éternel, devant son ardente colère »* (Jérémie 4:23-26 LSG). La terre a subi un jugement catastrophique à cause du péché de Lucifer.

La vie des gens pèse sur leur environnement. Quand une personne est bénie, son entourage est également béni; mais, quand cette personne est maudite, l'environnement est tout également maudit. Je déclare que, comme Abraham, tu seras une bénédiction partout où tu iras au nom de Jésus!

Prière
Père, merci de me déclarer un fils dans Ton Royaume. Je suis une bénédiction quelque soit là où je vais. Au nom de Jésus, amen.

Application

Ce que nous faisons ou ne faisons pas affecte positivement ou négativement notre environnement. Notez au moins deux choses que vous ferez aujourd'hui pour être un canal de bénédiction pour votre famille et vos amis.

Entendre la voix de Dieu

_____

_____

_____

_____

_____

_____

_____

_____

La Bible en un an
Ésaïe 48 – Ésaïe 51

La Terre est devenue informe et vide

<u>VERSET CLÉ</u>

« Notre Père qui es aux cieux! Que ton nom soit sanctifié;
que ton règne vienne » (Matthieu 6:9-10).

Lorsque Lucifer a péché, tout son royaume a été anéanti; la terre est devenue un tohu bohu, c'est-à-dire *«sans forme et vide»*. Regardons de près l'événement.

Premièrement, le prophète Jérémie dit que la terre est devenue *«informe et vide»*. Il dit: *«Je regarde la terre, et voici, elle est informe [tohu], et vide [bohu]; Les cieux, et leur lumière ont disparu... devant son ardente colère »* (Jérémie 4:23-26 LSG). Tohu bohu est une expression utilisée pour décrire le chaos. C'est ainsi que Dieu dépeint l'état de la terre au moment de la création. Comme indiqué précédemment, Dieu n'a pas initialement créé le monde comme cela. La terre est devenue une désolation à la suite du jugement qui est tombé sur Lucifer et son royaume.

La Bible déclare que Dieu est *« lent à la colère et riche en bonté »* (Psaumes 103:8 LSG). Certaines personnes interprètent ce texte et disent que Dieu ne se met jamais en colère. Mais il le fait, et quand cela arrive, cela peut être une expérience terrible. La Bible dit: *«C'est une chose terrible que de tomber entre les mains du Dieu vivant»* (Hébreux 10:31 LSG). Car *«notre Dieu est aussi un feu dévorant. »* (Hébreux 12:29 LSG). Demandez à Dieu de vous aider, à voir tout ce qui ne lui est pas agréable dans votre vie.

Prière

Saint Estprit de Dieu, sonde-moi et revèle-moi tout ce qui ne te fait pas plaisir dans ma vie. Amen.

Application

Faites une liste des choses que vous savez ne plaisent pas à Dieu, demandez pardon pour elles et dites à Dieu que vous ne voulez plus les faire. Demandez ensuite des stratégies divines pour changer ces choses et prenez note.

Entendre la voix de Dieu

_____

_____

_____

_____

_____

_____

_____

_____

La Bible en un an
Ésaïe 52 – Ésaïe 57

La Terre a subi un tremblement de terre

VERSET CLÉ

*« Notre Père qui es aux cieux! Que ton nom soit sanctifié;
que ton règne vienne »* (Matthieu 6:9-10).

Comment exactement la chute de Satan a-t-elle créé un *tohu bohu*,
une désolation? Tout d'abord, il y a eu un tremblement de terre.
Jérémie dit : « *Je regarde les montagnes, et voici, elles sont ébranlées; et
toutes les collines chancellent* » (Jérémie 4:24 LSG). Job donne plus
d'explications. Il dit: « *Il transporte soudain les montagnes, Il les renverse
dans sa colère ; [6] Il secoue la terre sur sa base, et ses colonnes sont
ébranlées.* » (Job 9:5-6 LSG). Le tremblement de terre a bouleversé
la création, faisant du monde un dépotoir cosmique. Dieu
renversera tout ce qui se rebelle contre lui. Assurez-vous que
chaque domaine de votre vie soit soumis à Dieu.

Prière

Seigneur, enseigne-moi en cette saison comment te soumettre
pleinement tout mon être. Je prie au nom de Jésus. Amen

Application

Prenez un moment pour prier et posez à Dieu la question suivante: « Qu'est-ce qui doit être changé en moi pour empêcher ta colère de s'abattre sur moi ? » Notez ce que Dieu vous dit et agissez dès aujourd'hui.

Entendre la voix de Dieu

_____

_____

_____

_____

_____

_____

_____

_____

La Bible en un an
Ésaïe 58 – Ésaïe 62

Des villes furent détruites

VERSET CLÉ
« Notre Père qui es aux cieux! Que ton nom soit sanctifié; que ton règne vienne » (Matthieu 6:9-10).

Le tremblement de terre a anéanti les infrastructures qui existaient dans le monde pré-adamique. Jérémie dit : *« Je regarde la terre, et voici, elle est informe et vide; Les cieux, et leur lumière a disparu. [24] Je regarde les montagnes, et voici, elles sont ébranlées; Et toutes les collines chancellent... Et toutes ses villes sont détruites, devant l'Éternel, devant son ardente colère »* (Jérémie 4:23-26 LSG). La chute de Lucifer a causé l'anéantissement des villes. Maintenant, le passage de la Genèse qui dit qu'au moment de la création *«la terre était informe et vide »* (Genèse 1:2) a plus de sens. Avant, la terre avait une forme. Il y avait des villes, c'est-à-dire des bâtiments, des infrastructures, une architecture. Mais à la chute de Lucifer, l'endroit est devenu un lieu désolé.

Lorsque le tremblement de terre s'est produit en Haïti le 12 janvier 2010, j'étais en République Dominicaine et j'ai traversé la frontière jusqu'à Port-au-Prince. Quand je suis arrivé le lendemain, j'ai remarqué que la plupart des bâtiments s'étaient effondrés. Il y avait des montagnes de décombres partout dans les rues. La capitale ressemblait à une gigantesque décharge. C'était une expression visuelle du tohu bohu. C'est pourquoi certaines versions traduisent Genèse 1:2 comme *"La terre était informe et vide,... et l'Esprit de Dieu se mouvait au-dessus des eaux."* (Genèse 1:2 LSG).

Le péché introduit également le désordre dans nos vies. Prions pour que Dieu sonde notre cœur maintenant.

Prière

Seigneur, chaque domaine de ma vie qui est en désordre à cause de mes péchés, je le confesse dès maintenant et je prie que tu me donnes la force de ne plus pécher au nom de Jésus. Amen.

Application

Avez-vous l'impression qu'il y a du désordre dans certains domaines de votre vie? Pensez-vous que cela plaise à Dieu? Si vous répondez par l'affirmative à ces deux questions, dressez dans la prière la liste de chaque domaine désordonné de votre vie et écrivez ce que le Saint-Esprit vous dit à ce sujet.

Entendre la voix de Dieu

_____

_____

_____

_____

_____

_____

_____

_____

_____

La Bible en un an
Ésaïe 63 – Ésaïe 66

12 août

La terre est devenue vide

VERSET CLÉ
« Notre Père qui es aux cieux! Que ton nom soit sanctifié; que ton règne vienne » (Matthieu 6:9-10).

Lorsque le tremblement de terre s'est produit, il n'a pas seulement anéanti les villes, mais il a anéanti tous ceux qui peuplaient le monde à cette époque. C'est pourquoi le monde n'était pas seulement une désolation, mais il était aussi inoccupé, vide. Regardons la parole de Jérémie. Il dit : *« Je regarde la terre, et voici, elle est informe et vide; Les cieux, et leur lumière a disparu.»* (Jérémie 4:23 LSG). Comme on l'a vu auparavant, la terre est devenue un lieu désolé à la suite du tremblement de terre. Il dit donc : *« Je regarde les montagnes, et voici, elles sont ébranlées; Et toutes les collines chancellent »* (Jérémie 4 :24). Ensuite, le prophète explique pourquoi la terre était vide ou inoccupée. Il dit: *«Je regarde, et voici, il n'y a point d'homme; et tous les oiseaux des cieux ont pris la fuite. [26] Je regarde, et voici, le Carmel est un désert; et toutes ses villes sont détruites, devant l'Éternel, devant son ardente colère »* (Jérémie 4:25-26 LSG). C'est pourquoi dans Genèse 1:2, lorsque Moïse décrit l'état de la terre à la création, il dit: *«La terre était informe et vide; il y avait des ténèbres à la surface de l'abîme »* (Genèse 1:2 LSG). Le monde était devenu vide parce que tous les citoyens d'origine étaient partis.

Lorsque vous êtes un leader, vos décisions ne vous affectent pas vous seuls, mais elles affectent toutes les personnes qui sont liées à vous. Demandez à Dieu de faire de vous un leader rempli de sagesse.

Prière

Dieu de toute Sagesse, je viens humblement à toi aujourd'hui te prier pour la sagesse. La sagesse que je recherche pour être un leader efficace. Je te prie au nom de Jésus, amen.

Application

En tant que dirigeant, vous avez la responsabilité de prendre des décisions sages pour le bien de tous. Demandez à Dieu de vous éclairer dans les décisions que vous devez prendre et notez ce qu'il vous dit.

Entendre la voix de Dieu

_____

_____

_____

_____

_____

_____

_____

_____

La Bible en un an
Jérémie 1 - Jérémie 4

13 août

La terre devint obscure

VERSET CLÉ

« Notre Père qui es aux cieux! Que ton nom soit sanctifié; que ton règne vienne » (Matthieu 6:9-10).

Lorsque Satan est tombé, la terre est devenue non seulement une désolation, mais aussi un lieu de ténèbres profondes. Jérémie dit: *«Je regarde la terre, et voici, elle était informe et vide; Les cieux, et leur lumière a disparu»* (Jérémie 4:23 LSG). Pourquoi les cieux ont-ils cessé de briller? Job dans sa propre version de cette catastrophe dit: *«Il transporte soudain les montagnes, Il les renverse dans sa colère; Il secoue la terre sur sa base, et ses colonnes sont ébranlées; [7] Il commande au soleil, et le soleil ne paraît pas; Il met un sceau sur les étoiles.»* (Job 9:5-7 LSG). Lorsque Satan est tombé, les ténèbres ont envahi la terre parce que Dieu a commandé au soleil de ne plus briller et a voilé les étoiles. En d'autres termes, Dieu a fermé la terre de manière à ce que la lumière ne pouvait plus l'atteindre. À ce moment-là, la terre est devenue un lieu d'obscurité totale. C'est pourquoi Genèse 1:2 déclare : *« La terre était informe et vide; il y avait des ténèbres à la surface de l'abîme...»* (Genèse 1:2 LSG). Dieu n'a pas créé un monde de ténèbres. La terre est devenue un endroit sombre à la suite de la chute de Lucifer. Lorsque nous vivons dans le péché, nos vies deviennent également un endroit sombre. C'est pourquoi la Bible dit: *« ne prenez point part aux œuvres infructueuses des ténèbres, mais plutôt condamnez-les»* (Éphésiens 5:11 LSG). Demandez à Dieu de faire briller sa lumière dans tous domaines assombris de votre vie.

Prière

Père, je fais appel à Ta lumière brillante pour chasser les ténèbres de ma vie, au nom de Jésus je te prie. Amen

Application

N'ayez pas peur, Dieu ne veut pas vous mettre dans l'embarras, il veut simplement vous aider. Dites clairement au Seigneur dans la prière quelles sont ces zones d'ombre dans votre vie et, demandez-lui ce qu'il veut que vous fassiez. Notez tout ce qu'Il vous dit.

Entendre la voix de Dieu

_____

_____

_____

_____

_____

_____

_____

_____

La Bible en un an
Jérémie 5:1 – Jérémie 7:27

14 août

L'abîme a été créé

VERSET CLÉ
« Notre Père qui es aux cieux! Que ton nom soit sanctifié; que ton règne vienne » (Matthieu 6:9-10).

Lorsque Lucifer est tombé, une fosse profonde a été créée au centre de la terre. Cet endroit est connu sous le nom de *Sheol* ou enfer. C'est devenu la résidence officielle de Satan, de ses anges déchus et des méchants habitants de la terre qui l'ont suivi dans sa rébellion. L'enfer s'appelle aussi l'abîme. Le prophète Ézéchiel dit : *« Ainsi parle le Seigneur, l'Eternel : Le jour où il est descendu dans le séjour des morts, j'ai répandu le deuil, j'ai couvert l'abîme à cause de lui, et j'en ai retenu les fleuves; Les grandes eaux ont été arrêtées. »* (Ézéchiel 31 :15 LSG). Quand Genèse 1:2 dit, *« Il y avait des ténèbres à la surface de l'abîme »*, maintenant nous comprenons pourquoi. L'abîme fait référence au quartier général de Satan, qui se trouvait alors dans les ténèbres les plus totales. Quand la Bible dit que Dieu se mouvait à la surface de l'abîme, cela veut dire qu'Il se mouvait sur le poste officiel du diable.

Quand on décide de désobéir à Dieu, on ne monte pas, on descend! Encore une fois, demandez à Dieu un cœur obéissant!

Prière

Père céleste, ma place est auprès de Toi dans les cieux. Je recherche un cœur obéissant, afin de ne pas demeurer dans l'abîme avec Satan, je te prie au nom de Jésus. Amen.

Application

L'obéissance nous libère de la chute dans des endroits profonds. Notez 3 choses que vous ferez à partir d'aujourd'hui pour devenir plus obéissant. Notez-les et priez pour elles.

Entendre la voix de Dieu

_____

_____

_____

_____

_____

_____

_____

_____

La Bible en un an
Jérémie 7:28 - Jérémie 10:25

15 août

La Terre a été inondée

<u>VERSET CLÉ</u>
*« Notre Père qui es aux cieux! Que ton nom soit sanctifié;
que ton règne vienne »* (Matthieu 6:9-10).

La chute de Lucifer a non seulement provoqué un tremblement de terre et créé un gouffre sans fond mais a également provoqué un tsunami. Le Psaume 104, qui est un autre récit de la création, déclare : « *Il a établi la terre sur ses fondements, elle ne sera jamais ébranlée, [6] Tu l'avais <u>couverte</u> de <u>l'abîme</u> comme d'un vêtement ; <u>les eaux</u> <u>s'arrêtaient</u> sur les montagnes* » (Psaumes 104 :5-6 LSG). Maintenant, nous comprenons la troisième phrase mystérieuse de Genèse 1:2, «*La terre était informe et vide; il y a avait des ténèbres à la surface de l'abîme, Et l'Esprit de Dieu se mouvait au-dessus <u>des eaux</u>* » (Genèse 1:2 LSG). Les eaux étaient déjà présentes au moment de la création, parce que la terre avait été précédemment inondée

La rébellion peut déclencher des inondations dangereuses dans nos vies. Mais, si nous nous repentons, Dieu étend sa main et «*nous retire des grandes eaux* » (Psaumes 18 :17).

Prière
Seigneur des Armées, je t'invoque aujourd'hui avec un cœur repentant, redirige les dangereuses inondations qui me guettent et tentent de me submerger. Dans le Nom Puissant de Jésus-Christ. Amen

Application

Se repentir nous libère de la noyade. De quoi vous repentez-vous devant Dieu aujourd'hui ? Parlez-lui sincèrement et laissez-le vous servir. Écrivez ce que vous avez ressenti après avoir prié.

Entendre la voix de Dieu

_____

_____

_____

_____

_____

_____

_____

_____

_____

La Bible en un an
Jérémie 11 - Jérémie 14

16 août

Les Anges déchus

VERSET CLÉ

« Notre Père qui es aux cieux! Que ton nom soit sanctifié;
que ton règne vienne » (Matthieu 6:9-10).

Le royaume de Satan est recouvert de ténèbres. (Col. 1:13), mais il est toujours opérationnel. D'où la nécessité de comprendre son fonctionnement. Pour éclairer le sujet, nous allons nous pencher sur les principaux citoyens de ce domaine. Les habitants du royaume de Satan sont appelés «démons». Ces créatures peuvent être classées en trois grands groupes: les anges déchus, les âmes déchues et les hommes déchus. Examinons les anges déchus. Lorsque Satan a déclenché sa rébellion contre Dieu, il a emmené un tiers d'entre eux avec lui. L'apôtre Jean déclare : *« Un autre signe parut encore dans le ciel; et voici, c'était un grand dragon rouge, ayant sept têtes et dix cornes, et sur ses têtes sept diadèmes. Sa queue entraînait le tiers des étoiles du ciel, et les jetait sur la terre. »* (Apocalypse 12:3-4 LSG). Le mot "dragon" est un autre terme pour désigner Satan (Apoc. 12:9), et "les étoiles" est une métaphore pour les anges. (Apoc. 12:7-9). Ainsi, Satan a incité un tiers des anges de Dieu à se rebeller avec lui. L'apôtre poursuit : *« Et il y eut guerre dans le ciel. Michel et ses anges combattirent contre le dragon. Et le dragon et ses anges combattirent, mais ils ne furent pas les plus forts, et leur place ne fut plus trouvée dans le ciel. Et il fut précipité, le grand dragon, le serpent ancien, appelé le diable et Satan, celui qui séduit toute la terre, il fut précipité sur la terre, et ses anges furent précipités avec lui »* (Apocalypse 12:7-9 LSG). Satan s'est battu, mais il n'a pas gagné. Par conséquent, il a été précipité sur la terre. Maintenant, il y a des milliards et des milliards de planètes dans l'univers. Mais Dieu n'a envoyé Satan sur aucune d'entre elles ; Il l'a jeté sur la terre, là où il régnait auparavant. Il y a des anges funestes qui errent sur la terre, mais *« Celui qui demeure sous l'abri du Très Haut Repose à l'ombre du Tout*

Puissant. » (Psaumes 91:1 LSG). Remerciez Dieu pour sa Protection.

Prière

Seigneur, je n'aurai pas peur car je demeure à l'Ombre du Dieu Tout-Puissant ! Je te remercie pour ta Protection. Amen

Application

Dieu vous protège de la puissance de l'ennemi, c'est une raison de plus de le louer. Notez au moins 3 fois où Dieu vous a délivré de la puissance des ténèbres, puis remerciez-le pour sa Protection à votre égard.

Entendre la voix de Dieu

_____

_____

_____

_____

_____

_____

_____

_____

La Bible en un an

Jérémie 15 - Jérémie 18

Le Léviathan, le serpent tortueux

VERSET CLÉ

« Notre Père qui es aux cieux! Que ton nom soit sanctifié; que ton règne vienne » (Matthieu 6:9-10).

Après la chute de Lucifer, l'abîme fut recouvert d'eau (Genèse 1 et 2 ; Psaumes 104 et 6). Dans cette eau vivaient des monstres marins, sur lesquels nous souhaitons attirer l'attention dans cette partie. Nous allons maintenant nous concentrer sur trois d'entre eux: Léviathan, Rahab, et Béhémoth. Examinons le premier. Le prophète Isaïe dit, *« En ce jour, l'Éternel frappera de sa dure, grande et forte épée Le léviathan, serpent fuyard, Le léviathan, serpent tortueux; Et il tuera le monstre qui est dans la mer »* (Esaïe 27:1 LSG). Qui est le Léviathan ? Le Léviathan est un serpent monstrueux à plusieurs têtes. C'est pourquoi le psalmiste écrit, *« Tu as écrasé les têtes du léviathan. »* (Psaumes 74:14 Darby).

L'apôtre Jean nous dit exactement combien de têtes il possède. Il dit, *« Un autre signe parut encore dans le ciel; et voici, c'était un grand dragon rouge, ayant sept têtes et dix cornes, et sur ses têtes sept diadèmes. »* (Apocalypse 12:3 LSG). De plus, l'Apôtre identifie qui est le Léviathan. Il dit, *« Et il fut précipité, le grand dragon, le serpent ancien, appelé le diable et Satan, celui qui séduit toute la terre, il fut précipité sur la terre, et ses anges furent précipités avec lui. »* (Apocalypse 12:9 LSG). Ainsi, le Léviathan de l'Ancien Testament est le Dragon du Nouveau Testament. Les deux font référence à Satan.

Lucifer est devenu arrogant à cause de sa beauté, alors Dieu l'a transformé en une créature horrible, un serpent à sept têtes. L'orgueil a transformé Lucifer, qui était un beau chérubin, en un monstre hideux. Demandez à Dieu de vous révéler tout orgueil que vous pourriez avoir dans votre cœur.

Prière

Seigneur, je vois comment l'orgueil peut transformer la vie d'une personne allant d'une belle création en un monstre hideux. Partout où l'orgueil se cache dans mon cœur, aide-moi à l'exposer, à le chasser et à le remplacer par l'humilité, au Nom de Jésus. Amen.

Application

Aujourd'hui, vous allez faire 3 choses: 1. Demandez à Dieu dans la prière de révéler toute forme d'orgueil dans votre vie 2. Lorsque vous aurez reçu une réponse, écrivez tout ce que le Seigneur vous dira et 3. Demandez-Lui pardon et agissez contre ces choses.

Entendre la voix de Dieu

_____

_____

_____

_____

_____

_____

_____

_____

La Bible en un an
Jérémie 19 - Jérémie 22

Le Léviathan, le serpent orgueilleux

<u>VERSET CLÉ</u>

« Notre Père qui es aux cieux! Que ton nom soit sanctifié; que ton règne vienne » (Matthieu 6:9-10).

Le Léviathan est associé à l'orgueil. Ainsi, Job demande: *« Tireras-tu <u>le léviathan</u> avec un hameçon, et avec une corde lui feras-tu y enfoncer sa langue? »* (Job 41:1 Darby). Puis il poursuit en disant, *« Il regarde avec dédain tout ce qui est élevé, Il est <u>le roi des plus fiers animaux</u> »* (Job 41:34 LSG). En d'autres termes, l'orgueil est identifié au diable lui-même, car c'était le péché originel de Lucifer. C'est pourquoi la Parole dit: *« Il y a six choses que <u>hait</u> l'Éternel, Et même sept qu'il a <u>en horreur</u>; Les <u>yeux hautains</u>, la langue menteuse, Les mains qui répandent le sang innocent, Le cœur qui médite des projets iniques, Les pieds qui se hâtent de courir au mal. »* (Proverbes 6:16-18 LSG). Remarquez que le premier péché qui apparaît sur la liste est l'orgueil.

Vous devez éviter l'orgueil à tout prix. C'est le plus dangereux de tous les péchés mais le plus facile à commettre. Demandez au Seigneur d'éliminer toute trace d'orgueil dans votre vie.

Prière

Esprit d'orgueil, je te chasse de ma vie au Nom de Jésus-Christ. Amen.

Application

Hier, vous aviez écrit ce que Dieu vous a révélé concernant l'orgueil dans votre vie. Aujourd'hui, vous allez faire une chose de plus, vous allez demander à Dieu des stratégies divines pour faire face à toute forme d'orgueil dans votre vie et vous allez les écrire.

Entendre la voix de Dieu

_____

_____

_____

_____

_____

_____

_____

_____

_____

La Bible en un an
Jérémie 23 - Jérémie 25

19 août

Rahab, la grande prostituée

VERSET CLÉ

« Notre Père qui es aux cieux! Que ton nom soit sanctifié; que ton règne vienne » (Matthieu 6:9-10).

Le deuxième monstre qui vit dans la mer avec le Léviathan est Rahab. Job dit, « *Il soulève la <u>mer</u> par sa puissance, et, par son intelligence, il brise <u>Rahab</u> »* (Job 26:12 Darby). Rahab peut aussi se manifester comme un serpent. Esaïe dit, « *Réveille-toi, réveille-toi, revêts-toi de force, bras de l'Éternel! Réveille-toi, comme aux jours d'autrefois, comme dans les générations des siècles passés! N'est-ce pas toi qui as taillé en pièces <u>Rahab</u>, qui as frappé le <u>monstre des eaux</u> ? »* (Esaïe 51:9 Darby). Rahab était un monstre marin, ce démon se manifestait dans l'Antiquité sous différents noms : Tiamat Hanna, Ishtar, Isis, Astarté, Diane, Vénus.

Dans l'Apocalypse, elle est dépeinte comme la grande prostituée qui chevauche la bête. Jean écrit: « *Il me transporta en esprit dans un désert. Et je vis une femme assise sur une bête écarlate, pleine de noms de blasphème, ayant sept têtes et dix cornes.[4] Cette femme était vêtue de pourpre et d'écarlate, et parée d'or, de pierres précieuses et de perles. Elle tenait dans sa main une coupe d'or, remplie <u>d'abominations</u> et des impuretés <u>de sa prostitution</u>. [5] Sur son front était écrit un nom, un mystère: BABYLONE LA GRANDE, <u>LA MÈRE DES IMPUDIQUES ET DES ABOMINATIONS DE LA TERRE.</u> »* (Apocalypse 17:3-5 LSG). Rahab est l'esprit de Jézabel. Elle est le démon marin responsable de la fausse adoration. Or, l'adoration idolâtre s'accompagne souvent d'immoralité sexuelle. Elle est donc associée aux deux. C'est pourquoi Jésus a dit à l'église de Thyatire. « *Mais ce que j'ai contre toi, c'est que tu laisses la <u>femme Jézabel</u>, qui se dit prophétesse, enseigner et <u>séduire</u> mes serviteurs, pour qu'ils se livrent à <u>l'impudicité</u> et qu'ils mangent des viandes <u>sacrifiées aux idoles</u> »* (Apocalypse 2:20 LSG). Lorsque l'on permet à l'esprit de Jézabel de contrôler une vie, une famille, une église ou une nation, on attire la colère de Dieu. Demandez à Dieu de vous aider à être un croyant authentique qui mène une vie de pureté.

Prière
Seigneur, au Nom de Jésus, je chasse l'esprit de Jézabel hors de ma vie. Aide-moi à être un véritable croyant vivant une vie de sainteté. Amen

Application
La pureté est la meilleure arme contre Rahab. Quelles sont les choses qui détournent vos yeux ou attirent votre chair vers l'impureté ? Priez pour ces choses et demandez à Dieu la force et les stratégies pour échapper à l'impureté. Notez ce qu'il vous dit.

Entendre la voix de Dieu

_____

_____

_____

_____

_____

_____

_____

_____

La Bible en un an
Jérémie 26 - Jérémie 28

20 août

Le Béhémoth, le taureau satanique

VERSET CLÉ

« Notre Père qui es aux cieux! Que ton nom soit sanctifié;
que ton règne vienne » (Matthieu 6:9-10).

Le troisième monstre marin est le Béhémoth. Cette bête a une caractéristique particulière. Elle fonctionne aussi bien sur terre que dans l'eau. Job dit: «*Vois le béhémoth, que j'ai fait avec toi : il mange l'herbe comme le boeuf.*» (Job 40:15 Darby). Plus loin dans le chapitre, il déclare: *« Que le fleuve vienne à déborder, il ne s'enfuit pas: Que le Jourdain se précipite dans sa gueule, il reste calme. Est-ce à force ouverte qu'on pourra le saisir? Est-ce au moyen de filets qu'on lui percera le nez?*» (Job 40:23-24 LSG). Dans l'Antiquité, le Béhémoth était représenté comme un gigantesque taureau amphibie. Il était un symbole de richesse car il habitait là où il y avait beaucoup de verts pâturages. En parlant de lui, Job dit, *« Il se couche sous les lotus, Au milieu des roseaux et des marécages; »* (Job 40:21 LSG).

Le Béhémoth dirige les marchés financiers mondiaux. En fait, l'image qui symbolise Wall Street, le centre de l'économie mondiale, est celle du Béhémoth. Il est représenté comme un gigantesque bœuf d'airain appelé le Taureau de Wall Street. Aux États-Unis, lorsque le prix des actions augmente, les experts financiers disent en anglais qu'il sont dans un *"bull market [marché du boeuf]"*, c'est-à-dire un marché haussier.

Lorsque vous traversez une période difficile de votre vie, cet esprit viendra vous tenter. Quand Israël était dans le désert, c'est le Béhémoth qui les a séduits et qu'ils ont adoré comme un veau d'or (Ex. 32: 19). Demandez à Dieu de vous aider à ne jamais compromettre votre intégrité, peu importe ce que vous traversez dans la vie.

Prière

Dieu mon Père, je viens contre l'esprit du Behemoth. Mes yeux sont fixés sur Toi, non sur les richesses du monde. Que je ne sois jamais compromis, au Nom de Jésus. Amen

Application

L'intégrité vous empêche de tomber sous la puissance du taureau satanique. Qu'est-ce qui dans votre vie constitue une forte tentation capable de vous faire succomber? Priez contre ces choses et demandez à Dieu les stratégies pour ne pas y succomber. Ecrivez tout ce que Dieu vous dit.

Entendre la voix de Dieu

_____

_____

_____

_____

_____

_____

_____

_____

La Bible en un an
Jérémie 29 - Jérémie 31

21 août

Les Dominations

VERSET CLÉ

« Notre Père qui es aux cieux! Que ton nom soit sanctifié; que ton règne vienne » (Matthieu 6:9-10).

Après avoir considéré les généraux du royaume de Satan, nous allons maintenant nous pencher sur sa hiérarchie démoniaque. Dans le volume 2, nous avons vu qu'il y a neuf classes d'êtres angéliques dans le royaume de Dieu: les séraphins, les chérubins, les trônes, les dominations, les puissances, les autorités, les principautés, les archanges et les anges. Satan copie tout ce que Dieu fait. Par conséquent, son royaume est structuré comme celui de Dieu. Cependant, au lieu de neuf catégories d'anges, nous en trouvons six: dominations, puissances, autorités, principautés, archanges et anges. La raison en est que les premières catégories, séraphins, chérubins, trônes, sont absentes du royaume de Satan. Apparemment, il n'a pas réussi à entraîner les anges des hauts cieux, dans sa chute.

Paul dit qu'après la résurrection du Christ, Jésus est monté au sommet, *« au-dessus de toute principauté, et autorité, et puissance, et domination »* (Ephésiens 1:21 Darby). Il les a tous mis sous ses pieds (Ephésiens 1:22). Ainsi, dans ce texte, nous trouvons déjà quatre catégories: les dominations, les puissances, les autorités et les principautés.

Commençons par les dominations. Comme nous l'avons vu dans le volume 2, le mot grec pour domination, *kuriotes*, signifie *« chef, maître, seigneur, celui qui exerce une autorité sûre».* Ainsi, ces anges appelés *kuriotes* supervisent tous les autres anges qui ont une certaine responsabilité dans le plan de Satan contre l'homme. Jésus dit que le royaume de Satan n'est pas divisé; il est bien organisé. C'est donc une nécessité pour nous aussi d'être organisés. Demandez à Dieu de mettre de l'ordre là où il y a du désordre dans votre vie.

Prière

Dieu Père, aide-moi à mettre de l'ordre dans les domaines de ma vie qui sont en désordre. Je désire être un chrétien organisé et efficace. Amen.

Application

Vous ne pouvez pas affronter l'ennemi avec du désordre dans votre vie. Faites la liste de tous les domaines où vous avez besoin d'ordre et demandez à Dieu de vous aider à y parvenir. Notez tout ce qu'Il vous dit à ce sujet et appliquez-le dès aujourd'hui.

Entendre la voix de Dieu

_____

_____

_____

_____

_____

_____

_____

_____

La Bible en un an
Jérémie 32 - Jérémie 34

22 août

Les Puissances

VERSET CLÉ

« Notre Père qui es aux cieux! Que ton nom soit sanctifié;
que ton règne vienne » (Matthieu 6:9-10).

Le deuxième groupe d'anges déchus qui opèrent dans le deuxième ciel sont appelés les puissances. Tel que vu précédemment, ces types d'anges ont été créés pour réguler la nature. Ainsi, Jésus dit avant sa venue, *« Il y aura des signes dans le soleil, dans la lune et dans les étoiles. .., au bruit de la mer et des flots... car les puissances* [dunamis] *des cieux seront ébranlées. »* (Luc 21:25-26 LSG). Remarquez que le Seigneur Jésus relie les puissances à la lune, au soleil, aux étoiles et à la mer. Certaines d'entre elles supervisent le mouvement des vents (Apoc. 7:1), d'autres sont responsables du feu (Apoc 14:18), d'autres encore ont le pouvoir sur l'eau (Apoc. 16:5), et il y en a qui sont liées au soleil (Apoc. 19:17). Ces puissances déchues, au lieu de réguler la nature, la perturbent par ce qu'on appelle souvent des catastrophes naturelles.

Les dix plaies d'Égypte auraient toutes été considérées comme des catastrophes naturelles aujourd'hui. Cependant, c'est Dieu qui jugeait les dieux d'Égypte, en d'autres termes, les esprits démoniaques, qui étaient liés à ces phénomènes. (Exode 12:12). Puisque les puissances régulent la nature, elles peuvent aussi accomplir des signes dans les cieux et réaliser de grands miracles. Or, un miracle se produit lorsque les lois de la nature sont suspendues. Par exemple, lorsque l'eau se transforme en vin (Jean 2:14) ou qu'une personne marche sur la mer (Matthieu 12:22-23). Ce n'est pas parce que quelqu'un fait des miracles que la puissance avec laquelle il opère est de Dieu. Jésus dit que dans les derniers jours, beaucoup viendront et diront: *« Seigneur, Seigneur, n'avons-nous pas prophétisé par ton nom ? »* mais il leur dira: *« Je ne vous ai jamais connus »* (Matthieu 7:22 LSG).

———

Demandez à Dieu de vous donner le discernement spirituel pour savoir ce qui est de lui et ce qui ne l'est pas.

.

Prière

Dieu Père, remplis-moi des sept esprits du Seigneur pour discerner ce qui est de toi et ce qui ne l'est pas. Au nom de Jésus, je prie. Amen.

Application

Le discernement est la capacité d'identifier si quelque chose vient de Dieu ou non. Pensez à une occasion où vous avez cru que quelque chose venait de Dieu et où vous vous êtes trompé. Demandez à Dieu de vous révéler pourquoi vous avez fait cette erreur et ce que vous devez faire pour que cela ne vous arrive plus. Notez la réponse du ciel.

Entendre la voix de Dieu

_____

_____

_____

_____

_____

_____

_____

_____

La Bible en un an

Jérémie 35 - Jérémie 38

23 août

Les Autorités

VERSET CLÉ

« Notre Père qui es aux cieux! Que ton nom soit sanctifié; que ton règne vienne » (Matthieu 6:9-10).

Le troisième groupe d'anges qui opère dans le deuxième ciel est celui des autorités. Encore une fois, Paul dit que le Christ est assis *« au-dessus de toute domination, de toute autorité »* (Ephésiens 1:21 LSG). Le mot grec que traduit autorité est *exousia*. Il signifie *« le droit de contrôler ou de gouverner »*. Les autorités du royaume de Satan sont des anges déchus chargés d'établir le droit légal de Satan sur un individu, des familles, des communautés et des nations. Ils le font principalement en encourageant les personnes ou les entités à adopter certains comportements pécheurs. C'est pourquoi Paul dit: *«Vous étiez morts par vos offenses et par vos péchés, [2] dans lesquels vous marchiez autrefois, selon le train de ce monde, selon le prince de la puissance de l'air, de l'esprit qui agit maintenant dans les fils de la rébellion »* (Ephésiens 2:1-2 LSG). En bref, les autorités démoniaques établissent des forteresses culturelles. Il s'agit de schémas de pensée impies qu'elles établissent par le biais de l'éducation, de la science et de l'art. Ces forteresses affectent les programmes scolaires, les films, la musique, la peinture, la littérature; en somme, tout ce qui affecte l'esprit d'un peuple. Mais la Parole de Dieu peut faire tomber ces forteresses. C'est pourquoi l'apôtre Paul dit, *« Car les armes avec lesquelles nous combattons ne sont pas charnelles; mais elles sont puissantes, par la vertu de Dieu, pour renverser des forteresses, [5]Nous renversons les raisonnements et toute hauteur qui s'élèvent contre la connaissance de Dieu, et nous amenons toute pensée captive à l'obéissance de Christ. »* (2 Corinthiens 10:4-5 LSG). Demandez au Seigneur de vous donner une passion profonde pour sa Parole.

Prière

Père céleste, la Bible dit que tout passe, mais que tes paroles demeurent. Donne-moi aujourd'hui la passion de ce qui est éternel, au nom de Jésus. Amen.

Application

Les autorités sont des démons qui se battent contre la connaissance de Dieu. On peut les combattre par la connaissance divine que l'on peut acquérir par l'étude de la Parole. Notez les changements que vous allez faire dans votre emploi du temps aujourd'hui même pour avoir plus de temps pour étudier la parole. Commencez maintenant!

Entendre la voix de Dieu

_____

_____

_____

_____

_____

_____

_____

_____

La Bible en un an
Jérémie 39 - Jérémie 42

24 août

Les Principautés

VERSET CLÉ

« Notre Père qui es aux cieux! Que ton nom soit sanctifié;
que ton règne vienne » (Matthieu 6:9-10).

La troisième catégorie d'anges est impliquée directement dans la vie des humains. Tout d'abord, il y a les principautés. La Parole affirme: *« Il a tout mis sous ses pieds, et il l'a donné pour chef suprême à l'Église »* (Ephésiens 1:22). Le mot grec pour principauté est *archē*. Dans la Septante, la traduction grecque de l'Ancien Testament, *archē* est utilisé pour désigner des dirigeants internationaux (Daniel 5:29), nationaux (Juges 18:8), régionaux (Daniel 2:15), municipaux (Juges 9:30), tribaux (Juges 11:9), et même sociaux (Daniel 2:48). Dans le Nouveau Testament, le terme s'applique aux anges, et il est traduit par principautés. Ainsi, ces anges gouvernent des groupes de personnes. Comme nous l'avons déjà noté, Dieu assigne différents anges pour veiller sur différents groupes de personnes. Satan, l'imitateur de Dieu, fait de même. Le livre de Daniel illustre le rôle des principautés. Le prophète jeûnait depuis 21 jours lorsqu'un ange lui est apparu et lui a dit: *« ne crains rien; car dès le premier jour où tu as eu à cœur de comprendre, et de t'humilier devant ton Dieu, tes paroles ont été entendues, et c'est à cause de tes paroles que je viens. [13] Le chef du royaume de Perse m'a résisté vingt et un jours; mais voici, Micaël, l'un des principaux chefs, est venu à mon secours, et je suis demeuré là auprès des rois de Perse »* (Daniel 10:12-13 LSG). Remarquez que deux passages mentionnent trois chefs ou princes de nations: le prince de Perse, le prince de Grèce, et le prince d'Israël. Alors que les autorités démoniaques travaillent dans les domaines de l'art, de la science et de l'éducation, les principautés démoniaques se concentrent sur le leadership, en particulier la politique. Les principautés sont souvent les dieux auxquels les nations s'identifient. Elles sont souvent les dieux protecteurs des familles, des communautés et des pays.

Prière

Dieu Père, merci pour les paroles de l'ange à Daniel "Ne crains pas..." Je n'aurai pas peur car le Seigneur a autorité sur toutes les principautés. Je prie au nom de Jésus. Amen

Application

Écrivez de votre main la déclaration suivante : "Dieu, Tu as toute autorité sur ma vie et ma famille. Je ferai tout ce que Tu m'ordonnes de faire. Je refuse d'obéir à la principauté des ténèbres assignée à ma ville. Les anges du ciel ont le droit légal d'habiter dans ma maison". Puis signez le document avec votre signature légale et présentez-le à Dieu dans la prière.

Entendre la voix de Dieu

_____

_____

_____

_____

_____

_____

_____

_____

La Bible en un an
Jérémie 43 - Jérémie 47

Les Archanges

VERSET CLÉ

« Notre Père qui es aux cieux ! Que ton nom soit sanctifié ;
que ton règne vienne » (Matthieu 6:9-10).

Le deuxième groupe de cette catégorie est celui des archanges. Ce mot est un composé de *archē* qui signifie *«*chef*»*, et *angelos*, qui signifie *«*messager*»*. Ainsi, un archange est un messager en chef. Dans la Bible, nous ne trouvons pas le mot *«* archange*»* appliqué aux démons. Mais nous trouvons l'équivalent: chef des démons Beelzébub. Une fois, Jésus a chassé un démon. Les Pharisiens ont déclaré qu'il l'avait fait par *«*«Beelzébub*»*, le *«* prince des démons*»*(Luc 11:15). En d'autres termes, les pharisiens insinuaient que la raison pour laquelle Jésus avait pu chasser ces démons était parce qu'il travaillait avec leur chef.

Prière

Dieu Père, merci de me donner le pouvoir de chasser les démons au nom de Jésus-Christ. Amen.

Application

Prenez un moment pour prier pour 2 choses: 1. Pour que Dieu ferme vos oreilles aux mauvais messagers et 2. Pour que vous opériez dans la dimension que Jésus a opéré quand il a réprimandé le diable. A la fin, prenez le temps de noter par écrit ce que vous avez a ressenti lorsque vous avez prié.

Entendre la voix de Dieu

_____

_____

_____

_____

_____

_____

_____

_____

_____

La Bible en un an
Jérémie 48 - Jérémie 49

Les Anges

<u>VERSET CLÉ</u>

« Notre Père qui es aux cieux! Que ton nom soit sanctifié;
que ton règne vienne » (Matthieu 6:9-10).

Enfin, il y a des anges dans le royaume de Satan. Pierre dit de Jésus, « Il est à la droite de Dieu, depuis qu'il est allé au ciel, et que les <u>anges</u>, les <u>autorités</u> et les <u>puissances</u>, lui ont été soumis.» (1 Pierre 3:22 LSG). Ces anges déchus dirigent les opérations au sol. La Bible nous dit de faire attention à eux. L'apôtre Paul dit: « *Qu'aucun homme, sous une apparence d'humilité et par <u>un culte des anges</u> ne vous ravisse à son gré le prix de la course »* (Colossiens 2:18 LSG). Les anges déchus exigent qu'on leur rende un culte en échange de faveurs. Dans le vaudou haïtien, par exemple, les esprits appelés *loa* sont des anges déchus. Les vrais anges n'exigent et n'acceptent jamais de culte.

Prenez ce temps pour prier pour tous les membres de votre famille qui sont impliqués dans un culte idolâtre. Demandez à Dieu de les rapprocher de lui.

Prière

Père céleste, je viens aujourd'hui au nom de Jésus-Christ pour présenter les membres de ma famille qui sont liés par l'idolâtrie. Que l'Esprit de Dieu les trouve et les libère aujourd'hui. Amen.

Application

Demandez à Dieu de vous inspirer maintenant pour écrire un texto pour au moins 3 des personnes sur votre liste de prière pour le salut. Envoyez-leur le texto et appelez-les pour partager le message de Dieu. Notez la réponse de chacune de ces 3 personnes et continuez à prier chaque jour pour elles.

Entendre la voix de Dieu

_____

_____

_____

_____

_____

_____

_____

_____

La Bible en un an
Jérémie 50 - Jérémie 51

Les Rephaïm

VERSET CLÉ

« Notre Père qui es aux cieux! Que ton nom soit sanctifié; que ton règne vienne » (Matthieu 6:9-10).

La deuxième grande catégorie de démons est ce que j'appelle les "âmes déchues". Nous allons examiner trois sous-catégories. Les *Rephaïm*, les *Nephilim*, et les *Oberim*. Commençons par les *Rephaïm*. Comme indiqué précédemment, Satan avait un trône sur terre avant sa chute. Son royaume s'est effondré juste avant qu'il ne soit chassé du ciel. Tous les habitants sont morts parce qu'ils étaient méchants. Apparemment, ils étaient d'accord avec Lucifer dans sa rébellion contre Dieu. Esaïe dit d'eux: « *Tu n'es pas réuni à eux dans le sépulcre, Car tu as détruit ton pays, tu as fait périr ton peuple: On ne parlera plus jamais de la race des méchants.* » (Esaïe 14:20 LSG). Remarquez que le prophète appelle les pré-adamiques qui ont péri la "race des méchants". Ils ont été les premiers à périr lors de la chute de Lucifer. Esaïe dit que, lorsque le roi arriva en enfer, ces esprits défunts se levèrent pour le recevoir. Le prophète déclare: « *Le séjour des morts s'émeut jusque dans ses profondeurs, Pour t'accueillir à ton arrivée; Il réveille devant toi les ombres, tous les grands de la terre, Il fait lever de leurs trônes tous les rois des nations.* » (Esaïe 14:9 LSG). Même en enfer, ces esprits continuent à se soumettre à Satan.

Or, il y a deux observations importantes à faire sur l'expression «esprits des morts» ici. Premièrement, ces esprits étaient dans la tombe au moment de la chute de Satan; ils sont donc pré-adamiques. Deuxièmement, Ésaïe les appelle Rephaïm. C'est un terme très intéressant parce que, les Rephaïm ont été décrits comme des géants qui ont combattu Israël sur leur chemin vers Canaan. Moïse écrit: « *Les Émim y habitaient auparavant; c'était un peuple grand, nombreux et de haute taille, comme les*

Anakim. _Ils passaient aussi pour être des_ Rephaïm, _de même que les_ _Anakim; mais les Moabites les appelaient Émim._ » (Deutéronome 2:10-11) LSG). Les _Rephaïm_ ont aussi combattu contre Israël. L'auteur des Chroniques dit: « _Après cela, il y eut une bataille à Guézer_ _avec les Philistins. Alors Sibbecaï, le Huschatite, tua Sippaï, l'un des_ _enfants de_ Rapha. _Et les Philistins furent humiliés._ » (1 Chroniques 20:4 LSG). Ésaïe décrit les _Rephaïm_ comme «l'esprit des morts» de l'époque pré-adamique, et pourtant nous les trouvons en train de faire la guerre à Israël.

Ces esprits méchants pré-adamiques fonctionnaient alors comme des démons, et ils continuent à le faire maintenant. Tout comme Israël a vaincu les géants, vous vaincrez tous les esprits démoniaques qui se trouvent sur votre chemin.

Prière
Au nom de Jésus-Christ, je suis vainqueur ! Amen.

Application
Quels sont les géants qui vous accablent dans votre vie? Faites-en la liste, présentez-les dans la prière dès maintenant et déclarez au nom de Jésus que vous êtes vainqueur.

Entendre la voix de Dieu

_____

_____

_____

_____

_____

_____

_____

La Bible en un an
Jérémie 52

———

28 août

Les Nephilim

VERSET CLÉ

« Notre Père qui es aux cieux! Que ton nom soit sanctifié; que ton règne vienne » (Matthieu 6:9-10).

La deuxième catégorie d'âmes déchues que nous devons considérer est celle des *Nephilim*. Il s'agissait de géants qui étaient nés suite à l'accouplement d'anges déchus avec d'êtres humains. Le livre de la Genèse dit: « *Les géants étaient sur la terre en ces temps-là, après que les fils de Dieu furent venus vers les filles des hommes, et qu'elles leur eurent donné des enfants: ce sont ces héros qui furent fameux dans l'antiquité.* » (Genèse 6:4 LSG). Les fils de Dieu, dans ce texte, réfèrent aux anges (cf. Job 1:6; 38:7; 2 Pierre 2:4-5; Jude 1:5-6). Les Nephilim étaient une race hybride d'êtres humains et d'anges déchus. En tant que descendants d'anges, ils avaient une taille inhabituelle (cf. Apocalypse 10:5); face à eux, les Israélites ressemblaient à des sauterelles (Nombres 13:32-33). Certains d'entre eux étaient aussi grands que les cèdres du Liban (Amos 2:9), des arbres qui atteignent une hauteur pouvant aller jusqu'à 27 mètres. D'autres Nephilim avaient des formes inhabituelles. Jishbi-Benob, par exemple, avait six doigts par main et six orteils par pied; vingt-quatre au total (2 Samuel 21:20). D'autres encore étaient mi-humains et mi-animaux, comme les deux hommes de Moab qui ressemblaient à des lions (2 Samuel 23:20).

Les âmes de ces géants, même après leur mort, continuent à errer sur la terre. Le livre d'Enoch, que la Bible cite comme une source historique dit: « *Mais maintenant les géants, ceux qui sont nés d'esprits et de chair* (Genèse 6:1-4) *sont des esprits puissants sur la terre, et sur la terre leur demeure sera* ». Un autre passage du même livre dit: « Et les esprits des géants, tout en faisant le mal dans les nuages, détruisaient, tombaient, luttaient et se jetaient sur la terre, esprits rudes de géants, accomplissant des missions, ne mangeant rien, mais jeûnant et s'assoiffant, des esprits de chute... » Par conséquent, les *Nephilim,* qui sont les esprits des géants déchus, fonctionnent également sur terre comme des démons. Mais tout comme David a vaincu Goliath, vous vaincrez tout géant qui vous défie, au nom de Jésus!

Prière
Père Dieu, tu m'as équipé pour vaincre comme David a vaincu. Au nom de Jésus je prie. Amen.

Application
Comment allez-vous vous équiper pour combattre l'esprit de Nephilim?

Entendre la voix de Dieu

_____

_____

_____

_____

_____

_____

_____

_____

La Bible en un an
Lamentations 1 – Lamentations 5

29 août

Les Oberim

VERSET CLÉ

« Notre Père qui es aux cieux! Que ton nom soit sanctifié; que ton règne vienne » (Matthieu 6:9-10).

La troisième catégorie d'âmes déchues que nous souhaitons examiner est celle des *Oberim*. (Levétique 19:31; 20:6; 1 Samuel 28:3). Il s'agit des âmes d'êtres humains normaux qui sont morts mais qui sont utilisés comme des démons. Expliquons. Quand un croyant meurt, son corps retourne à la poussière (Genèse 3:19), son esprit retourne à Dieu (Ecclésiate 12:7), et son âme va au Christ (2 Corinthiens 5:8). Cependant, lorsqu'un non-croyant meurt, son corps retourne à la poussière, son esprit retourne à Dieu, mais son âme ne va pas au Christ. Son âme va au séjour des morts (Luc 16:20-23). Le séjour des morts, qui a de nombreux compartiments, se trouve actuellement sur le territoire de Satan (Ésaïe 14:9, 12-15); et une personne qui meurt sans Christ est sous l'autorité de Satan (Mt 12:30; Éphésiens 2:1-2). Par conséquent, il peut utiliser cette âme pour faire ce qu'il veut jusqu'au jour du jugement (Apocalypse 20.14). Puisque cette âme est sous l'autorité de Satan, ses représentants peuvent la manipuler. Cette âme peut être appelée et interrogée; c'est pourquoi la Bible dit : *« Qu'on ne trouve chez toi personne qui fasse passer son fils ou sa fille par le feu, personne qui exerce le métier de devin, d'astrologue, d'augure, de magicien,,* [11] *d'enchanteur, personne qui consulte ceux qui évoquent les esprits ou disent la bonne aventure, personne qui interroge les morts. »* (Deutéronome 18:10-12 LSG). L'âme des morts peut être invoquée et interrogée. En outre, ces âmes peuvent également entrer dans d'autres personnes. C'est aussi pourquoi les Écritures disent, *« Si un homme ou une femme ont en eux l'esprit d'un mort [Ob]ou un esprit de divination, ils seront punis de mort »* (Lévitique 20:27 LSG). L'esprit d'une personne morte, c'est-à-dire son âme dans ce cas, peut être utilisée comme un force maléfique pour jeter un sort aux autres. En d'autres termes, il fonctionne comme un démon. Que toute malédiction lancée contre vous, les membres de votre famille, vos biens, votre ministère, soit brisée maintenant au nom de Jésus!

Prière

Dieu Père, je me réjouis aujourd'hui car mon âme t'appartient. Amen.

Application

Commencez à louer le Seigneur du fait que votre âme lui appartient. Demandez au Seigneur d'ouvrir les yeux de ceux que vous aimez et qui n'ont pas encore fait de Christ leur Seigneur et Sauveur.

Entendre la voix de Dieu

_____

_____

_____

_____

_____

_____

_____

_____

La Bible en un an
Ézéchiel 1 - Ézéchiel 3

30 août

Les Médiums sataniques

VERSET CLÉ

*« Notre Père qui es aux cieux! Que ton nom soit sanctifié;
que ton règne vienne »* (Matthieu 6:9-10).

La troisième grande catégorie que nous allons considérer est ce
que j'appelle les hommes déchus. Ce ne sont pas des personnes
mortes. Ils sont vivants, mais ils sont des membres actifs du
royaume des ténèbres. On les appelle les excitateurs de
Léviathan. Job dit, « *Qu'elle soit maudite par ceux qui maudissent les
jours, Par ceux qui savent exciter le léviathan! Que les étoiles de son
crépuscule s'obscurcissent, Qu'elle attende en vain la lumière, Et qu'elle ne
voie point les paupières de l'aurore!* » (Job 3:8-9 LSG). Le Léviathan,
comme nous l'avons appris précédemment, est un autre nom
pour Satan. Ce sont donc des gens qui l'invoquent sur terre. Il y
a des gens qui font délibérément appel au pouvoir de Satan pour
différentes raisons. Ils opèrent principalement dans les ténèbres.
Cette catégorie comprend les devins, les magiciens, les sorciers,
etc. C'est par leur intermédiaire que Satan exécute directement
ses desseins sur la terre. Ces excitateurs de Léviathan utilisent
consciemment leurs corps comme canal pour que ces démons de
haut niveau puissent opérer. Que la puissance de Dieu en vous
annule les œuvres des malfaiteurs, au nom de Jésus!

Prière

Que la puissance de Dieu en moi annule les œuvres démoniaques
dans ma famille, mon église, ma communauté et mon pays au
nom de Jésus je prie. Amen.

Application

Sachant que les excitateurs de Léviathan se sont adonnés à Satan pour qu'il les utilise, comment allez-vous changer la façon dont vous vous abandonnez au Seigneur pour qu'il vous utilise pour son royaume?

Entendre la voix de Dieu

_____

_____

_____

_____

_____

_____

_____

_____

La Bible en un an
Ézéchiel 4 - Ézéchiel 7

31 août

Les Non-croyants

VERSET CLÉ
*« Notre Père qui es aux cieux! Que ton nom soit sanctifié;
que ton règne vienne »* (Matthieu 6:9-10).

Enfin, dans le groupe des hommes déchus, il y a les fils de la désobéissance. Ce sont des membres passifs du royaume de Satan. Ils ne savent même pas qu'ils font partie de son royaume. Ils se contentent de mener leur vie comme n'importe quelle personne normale. Ils ne réalisent pas qu'ils sont des instruments dans les mains de l'ennemi. La plupart des gens tombent dans cette catégorie. Et lorsque nous ne connaissions pas le Christ, nous faisions également partie de ce groupe. Paul dit: *« Vous étiez morts par vos offenses et par vos péchés, dans lesquels vous marchiez autrefois, selon le <u>train de ce monde</u>, selon le <u>prince de la puissance</u> <u>de l'air</u>, de l'esprit qui agit maintenant dans les fils de la rébellion».*
(Ephésiens 2:1-2 LSG)

Toute personne qui ne connaît pas Christ est un agent potentiel du royaume des ténèbres, qu'elle le sache ou non. Ainsi, vous devez prier pour le salut de tous les membres de votre famille qui ne connaissent pas Christ. Élevez votre voix et intercédez pour eux dès maintenant.

Prière
Jésus-Christ, je demande à l'Esprit de salut de planer sur ma famille et de convaincre les non sauvés de ton salut. En ton nom, je prie. Amen.

Application

Connaissez-vous quelqu'un qui n'a pas pris la décision d'abandonner sa vie à Jésus? Écrivez son nom sur la carte de l'opération André, et commencez à prier pour son âme dès maintenant.

Entendre la voix de Dieu

_____

_____

_____

_____

_____

_____

_____

_____

La Bible en un an
Ézéchiel 8 - Ézéchiel 11

Que Ton Règne Vienne

Le Royaume de Satan

Dieu subjugue le royaume de Satan

VERSET CLÉ

*« Notre Père qui es aux cieux! Que ton nom soit sanctifié;
que ton règne vienne »* (Matthieu 6:9-10).

Nous avons vu comment Lucifer s'est rebellé contre Dieu et a
été expulsé du Paradis vers le *Shéol*. Lors de l'impact, la planète a
subi un tremblement de terre, qui a conduit à un tsunami.
Par conséquent, les eaux ont recouvert le monde entier, même
les montagnes. Dieu a alors isolé la Terre et a ordonné que la
lumière n'y brille plus. Lucifer devint alors un Léviathan et reçut
l'ordre de vivre dans les profondeurs de la mer.

Lorsque nous tenons compte de ce contexte, les premiers
versets de la Genèse deviennent plus intelligibles pour nous.
Nous comprenons maintenant pourquoi la terre était « informe
et vide », décrivant un état de «désolation». Le Dieu parfait ne l'a
pas créé dans cet état. La terre originelle a été parfaitement créée.
C'est la chute de Lucifer et son jugement consécutif qui ont
transformé la terre en un tohu-bohu. De même, les ténèbres,
pour lesquelles nous n'avions aucune explication dans la Genèse,
en ont maintenant une. Elles ont également fait partie du
jugement qui s'est abattu sur le royaume.

En outre, l'abîme, pour lequel nous n'avions pas non plus
d'explication, en a désormais une. Le mot « abîme » signifie «puits
sans fond». C'est la résidence officielle de Satan. C'est pourquoi,
dans les derniers jours, la bête, qui sera la personnification de
Satan, viendra de l'abîme (Apocalypse 11:7, 17:8 LSG). L'abîme
est aussi l'endroit où vivent les démons. C'est pourquoi, lorsque
Jésus chassa la légion de démons de l'homme de Gadaré, ces
derniers le supplièrent de ne pas les envoyer dans l'abîme (Luc
8:31). Enfin, les eaux, dont l'origine est également inconnue
dans Genèse 1:2, sont démystifiées. La raison pour laquelle ells

couvraient la face de l'abîme est que Dieu avait inondé le royaume de Lucifer et recouvert d'eau le monde entier. En bref, l'abîme, les ténèbres et les eaux sont tous liés au royaume de Satan.

Prière

Père Éternel, merci de m'avoir donné cette profonde révélation aujourd'hui. Je déclare une saison de maturité exeptionnelle dans ta parole. Amen!

Application

Je comprends maintenant que les ténèbres sont un signe du jugement de Dieu. Quelles actions ténébreuses essaies-tu de chasser de ta vie aujourd'hui?

Entendre la voix de Dieu

_____

_____

_____

_____

_____

_____

_____

_____

La Bible en un an
Ézéchiel 12 - Ézéchiel 15

2 septembre

Dieu assujettit le Léviathan

VERSET CLÉ

« Notre Père qui es aux cieux! Que ton nom soit sanctifié; que ton règne vienne » (Matthieu 6:9-10).

Le livre de la Genèse déclare que Dieu a créé le monde en six jours, et au septième, Il s'est reposé. Nous avions vu dans le volume 1 que le repos ici ne signifie pas s'allonger après une longue journée. Le terme s'appliquait aux rois qui avaient vaincu leurs ennemis et étaient donc prêts à gouverner. On se demande alors qui Dieu a vaincu au début de la création.

Tout d'abord, Dieu a vaincu le Léviathan qui, comme nous l'avions vu auparavant, est un autre nom pour Satan lui-même. Asaph, dans une autre description de la création, dit: *«Et Dieu est d'ancienneté mon roi, opérant des délivrances au milieu de la terre. Tu as fendu la mer par ta puissance, tu as brisé les têtes des monstres sur les eaux; Tu as écrasé les têtes du léviathan, tu l'as donné pour pâture au peuple, -aux bêtes du désert. Tu as fait sortir la source et le torrent; tu as séché les grosses rivières. A toi est le jour, à toi aussi la nuit; toi tu as établi la lune et le soleil. Tu as posé toutes les bornes de la terre; l'été et l'hiver, c'est toi qui les as formés».* (Psaumes 74:12-17 Darby)

Le passage commence ainsi: *«Dieu est d'ancienneté mon roi»*, ce qui signifie que l'auteur décrit une époque du passé. Puis, il poursuit en disant: *«Toi tu as établi la lune et le soleil. Tu as posé toutes les bornes de la terre; l'été et l'hiver»*. Ainsi, le passage fait référence à la création. Après l'avoir situé dans ce contexte, relisez-le. Il dit: *«Et Dieu est d'ancienneté mon roi, opérant des délivrances au milieu de la terre. Tu as fendu la mer par ta puissance, tu as brisé les têtes des monstres sur les eaux; Tu as écrasé les têtes du léviathan, tu l'as donné pour pâture au peuple, -aux bêtes du désert. Tu as fait sortir la source et le torrent; tu as séché les grosses rivières.»* (Psaumes 74:12-15). Ce passage dit qu'au moment de la création, Dieu brisa la tête du serpent. Ainsi, la création elle-même était un acte de victoire sur Satan.

Comme on l'a vu précédemment, le Léviathan est lié à l'orgueil. Mais nous avons cette promesse glorieuse: «*Ils l'ont vaincu à cause du sang de l'agneau et à cause de la parole de leur témoignage, et ils n'ont pas aimé leur vie jusqu'à craindre la mort*». (Apocalypse 12:11 LSG).

Plus nous mourons à nous-mêmes, plus l'orgueil perd son emprise sur nous. Que tout esprit d'orgueil essayant de s'opposer à vous tombe maintenant!

Prière

Seigneur, je vois de l'orgueil en moi et je déclare qu'il est vaincu au nom de Jésus, amen.

Application

Quelle(s) parties de votre personalité voulez-vous voir mourir dans cette saison avec Dieu? Et quelles actions posez-vous pour que cette mort devienne vraiment une réalité?

Entendre la voix de Dieu

_____

_____

_____

_____

_____

_____

_____

_____

La Bible en un an
Ézéchiel 16 – Ézéchiel 17

3 septembre

Dieu assujettit Rahab

VERSET CLÉ

« Notre Père qui es aux cieux! Que ton nom soit sanctifié; que ton règne vienne » (Matthieu 6:9-10).

Le deuxième monstre marin que Dieu a assujetti au moment de la création était Rahab. Le psalmiste dit: «*Toi, tu as abattu Rahab comme un homme tué; par le bras de ta force tu as dispersé tes ennemis. A toi les cieux, et à toi la terre; le monde et tout ce qu'il contient, toi tu l'as fondé*». (Psaumes 89:10 Darby). Remarquez, ici encore, c'est un passage concernant l'histoire de la création, et il dit que Dieu à ce moment-là a abattu Rahab.

Nous avions vu que Rahab est lié à la luxure. Que tous les esprits lubriques délégués contre vous prennent feu maintenant au nom de Jésus!

Prière

Père Éternel que l'onction de ta parole aujourd'hui consume tous les désirs et tendances lubriques en moi. Je reçois ma délivrance au nom de Jésus, amen.

Application

Quelles sont les mesures que vous allez mettre en place pour prévenir toutes tentations lubriques aujourd'hui?

Entendre la voix de Dieu

_____

_____

_____

_____

_____

_____

_____

_____

_____

_____

La Bible en un an
Ézéchiel 18 - Ézéchiel 20

4 septembre

Dieu assujettit le Béhémoth

VERSET CLÉ

« Notre Père qui es aux cieux! Que ton nom soit sanctifié; que ton règne vienne » (Matthieu 6:9-10).

La dernière créature que Dieu a dû assujettir afin d'établir la terre était le Béhémoth. Cependant, pour comprendre cela, il faut comprendre le contexte. Dans le livre de Job, le protagoniste se plaint du fait que Dieu l'avait traité injustement. Dieu l'a laissé s'exprimer pendant un certain temps, puis Il se présenta et lui posa la question suivante: *«Où étais-tu quand j'ai fondé la terre? Déclare-le-moi, si tu as de l'intelligence. Qui lui a établi sa mesure, -si tu le sais? Ou qui a étendu le cordeau sur elle ?»* (Job 38:4-5 Darby). Ainsi, nous sommes à nouveau dans le contexte de la création. Ensuite, Dieu continue à lui expliquer un certain nombre d'exploits qu'Il a faits en créant le monde. Il dit: *«Vois le béhémoth, que j'ai fait avec toi: il mange l'herbe comme le bœuf. Regarde donc: sa force est dans ses reins, et sa puissance dans les muscles de son ventre.»* (Job 40:15-16 Darby). Puis le Seigneur continue en disant: *«Seul celui qui l'a fait peut s'approcher de son épée»* (Job 40:19 Darby). En d'autres termes, seul Dieu peut maîtriser cette bête. C'est précisément ce que Dieu a fait au moment de la création. Le Béhémoth représente la cupidité. Que toute puissance cupide venant contre vous soit brisée en ce moment au nom de Jésus!

Prière

Seigneur Jésus, j'invoque ton sang afin qu'il puisse briser toute avidité dans ma vie, au nom de Jésus, amen.

Application

L'esprit de générosité est la meilleure arme contre l'avidité. Quelles sont les mesures que vous allez mettre en place pour devenir plus généreux envers Dieu et les autres aujourd'hui?

Entendre la voix de Dieu

_____

_____

_____

_____

_____

_____

_____

_____

_____

La Bible en un an
Ézéchiel 21 - Ézéchiel 22

Dieu limite le Léviathan à la mer

VERSET CLÉ

« Notre Père qui es aux cieux! Que ton nom soit sanctifié;
que ton règne vienne » (Matthieu 6:9-10).

Quand Lucifer a péché dans le ciel, Dieu aurait pu l'anéantir, mais Il ne l'a pas fait. Quand Dieu a envahi la terre pour restaurer la création, Il aurait pu effacer totalement le Léviathan, mais au lieu de cela, Dieu a choisi de restreindre son royaume dans le temps et l'espace.

Premièrement, Dieu a confiné la sphère d'opération du Léviathan à la mer. Le prophète Ésaïe dit: *«En ce jour-là, l'Éternel visitera de son épée, dure et grande et forte, le léviathan, serpent fuyard, le léviathan, serpent tortueux; et il tuera le monstre qui est dans la mer.»* (Ésaïe 27:1 Darby). C'est aussi pourquoi la mer est souvent présentée comme l'ennemi de Dieu dans la Bible. David dit: « *Tu domptes l'orgueil de la mer ; Quand ses flots se soulèvent, tu les apaises.»* (Psaumes 89:9 LSG). Plus tard, il dit: *«Les eaux t'ont vu, ô Dieu! Les eaux t'ont vu, elles ont tremblé; Les abîmes se sont émus.»* (Psaumes 77:16 LSG). C'est aussi la raison pour laquelle, dans la Nouvelle Création, il n'y aura pas de mer. Jean dit: *«Puis je vis un nouveau ciel et une nouvelle terre; car le premier ciel et la première terre avaient disparu, et la mer n'était plus.»* (Apocalypse 21:1 LSG).

L'eau dans les Écritures représente souvent les puissances sataniques. Mais le Dieu qui régnait sur les mers déchaînées à la création règne encore aujourd'hui. Vous êtes plus que vainqueur.

Prière

Seigneur Dieu Tout Puissant merci parce que tu me rends plus que vainqueur. Amen.

Application

Comment allez-vous vous positioner en Christ afin que Satan n'ait aucune place dans votre vie?

Entendre la voix de Dieu

_____

_____

_____

_____

_____

_____

_____

_____

_____

La Bible en un an
Ézéchiel 23 - Ézéchiel 25

Dieu limite le Léviathan dans la nuit

VERSET CLÉ

« Notre Père qui es aux cieux! Que ton nom soit sanctifié; que ton règne vienne » (Matthieu 6:9-10).

Dieu a limité la sphère du Léviathan à la mer et le temps du Léviathan à la nuit. Job dit: *«Que cette nuit devienne stérile, Que l'allégresse en soit bannie! Qu'elle soit maudite par ceux qui maudissent les jours, Par ceux qui savent exciter le léviathan! Que les étoiles de son crépuscule s'obscurcissent, Qu'elle attende en vain la lumière, Et qu'elle ne voie point les paupières de l'aurore!»* (Job 3:7-9 LSG). C'est pourquoi, dans les Écritures, la nuit est souvent associée aux forces des ténèbres. La Bible dit au sujet de Judas après qu'il ait mangé du pain: *«Satan est entré en lui, et il faisait nuit»* (Jean 13:30 LSG). Pour les citoyens du royaume, il y a de bonnes nouvelles. La Parole de Dieu dit : *«Vous êtes tous des enfants de la lumière et des enfants du jour. Nous ne sommes point de la nuit ni des ténèbres»* (1 Thessaloniciens 5:5 LSG).

Le prince des ténèbres n'a aucune autorité sur vous. De votre côté, cependant, vous devez faire un effort. Vous devez renoncer aux œuvres des ténèbres (Éphésiens 5:11). Les œuvres des ténèbres sont des habitudes pécheresses que nous gardons secrètes dans nos vies! Renoncez-y maintenant.

Prière

Au nom de Jésus je renonce à toute oeuvre des ténèbres dans ma vie. Que la lumière de Dieu annule toutes sortes de ténèbres en moi au nom de Jésus, amen.

Application

Quel plan allez-vous mettre en place afin de renoncer à toute oeuvre ténébreuse dans votre vie aujourd'hui?

Entendre la voix de Dieu

_____

_____

_____

_____

_____

_____

_____

_____

La Bible en un an
Ézéchiel 26 – Ézéchiel 28

Dieu crée Adam

VERSET CLÉ

*« Notre Père qui es aux cieux! Que ton nom soit sanctifié;
que ton règne vienne »* (Matthieu 6:9-10).

Nous avons dit que lorsque Dieu a créé le monde, Il aurait pu
anéantir Satan. Mais Il s'en est abstenu. Pourquoi? La réponse
complète à cette question appartient à la sagesse de Dieu. Mais
nous avons une réponse puissante: Dieu voulait gagner la
victoire finale sur Satan à travers l'homme. Jésus a dit à ses
*disciples: «Voici, je vous ai donné le pouvoir de marcher sur les serpents et
les scorpions, et sur toute la puissance de l'ennemi; et rien ne pourra vous
nuire.»* (Luc 10:19 LSG). L'idée que nous piétinons Satan n'était
pas une réflexion après coup pour Dieu. C'était son désir depuis
le début.

Dieu voulait utiliser l'homme pour détruire complètement le
royaume de Satan. Dieu veut vous utiliser aujourd'hui pour
contrecarrer l'influence de l'ennemi dans votre famille, votre
église, votre quartier, votre pays. Êtes-vous disponible?

Prière

Père Éternel, OUI. Merci parce que tu me rends plus que
vainqueur par le sang de l'Agneau et la parole de mon
témoignage. Amen!

Application

Qu'allez-vous commencer à faire aujourd'hui afin de marcher dans la victoire que Christ vous a donné sur Satan?

Entendre la voix de Dieu

_____

_____

_____

_____

_____

_____

_____

_____

La Bible en un an
Ézéchiel 29 - Ézéchiel 32

Dieu crée Adam en tant que fils

VERSET CLÉ

« Notre Père qui es aux cieux! Que ton nom soit sanctifié; que ton règne vienne » (Matthieu 6:9-10).

Nous avons dit que Dieu voulait vaincre Satan par l'homme. Ainsi, après avoir tout créé, il a *dit: «Faisons l'homme à notre image, selon notre ressemblance, et qu'il domine sur les poissons de la mer, sur les oiseaux du ciel, sur le bétail, sur toute la terre, et sur tous les reptiles qui rampent sur la terre»* (Genèse 1:26 LSG). Remarquez, premièrement, que l'homme est créé à l'image de Dieu. Le fait qu'il soit créé à l'image de Dieu fait de lui un fils de Dieu. Dans la généalogie de Jésus par Luc, Adam est présenté comme tel (Luc 3:38 LSG).

Les anges ont également été créés comme fils de Dieu (Job 1:6; 38:7); cependant, il y avait une grande différence entre eux et Adam. Adam a été créé comme le fils le plus élevé. C'est ce que le psalmiste David voulait dire quand il a déclaré: *« Qu'est-ce que l'homme, pour que tu te souviennes de lui ? Et le fils de l'homme, pour que tu prennes garde à lui? Tu l'as fait de peu inférieur à Dieu, Et tu l'as couronné de gloire et de magnificence.»* (Psaumes 8:4-5 LSG). Lucifer a été créé comme un fils de Dieu mais fut déchu. Dieu s'empara alors du territoire qui était sous sa domination, le restructura et créa un autre fils, beaucoup plus grand qu'il ne l'était. Quelqu'un fut vexé!

Nous devons toujours faire preuve d'humilité lorsque nous servons le Seigneur. Dieu ne manque jamais de ressources. Nous pouvons être remplacés à tout moment. Demandez au Seigneur de vous accorder un cœur de serviteur.

Prière

Mon Seigneur et Créateur, personne n'est indispensable à ton royaume. Accordes-moi un coeur de serviteur (servante) pour te servir toute ma vie et ne pas être remplacé.

Application

Comment allez-vous commencer à cultiver un coeur de serviteur (servante) dans le domaine où vous servez Dieu aujourd'hui?

Entendre la voix de Dieu

_____

_____

_____

_____

_____

_____

_____

_____

La Bible en un an
Ézéchiel 33 - Ézéchiel 35

9 septembre

Dieu crée Adam en tant que roi

VERSET CLÉ

« Notre Père qui es aux cieux! Que ton nom soit sanctifié; que ton règne vienne » (Matthieu 6:9-10).

Dieu n'a pas simplement créé Adam à son image et à sa ressemblance; Il alla plus loin et lui donna la domination sur la terre. La domination est le règne du roi (Daniel 11:3 LSG). En d'autres termes, Dieu fit de lui le roi de la terre. Satan fut détrôné et un autre roi fut installé.

De plus, quand Dieu donna à Adam les rênes de la terre, Il lui donna autorité sur trois espaces spécifiques: l'air, la mer et le sol. Il dit: *«Qu'il domine sur les poissons de la mer, sur les oiseaux du ciel, sur le bétail, sur toute la terre, et sur tous les reptiles qui rampent sur la terre.»* (Genèse 1:26 LSG). Pourquoi ces trois espaces sont importants? Parce que quand Satan et ses anges sont tombés, ce sont les trois endroits qu'ils ont occupés.

En effet, certains d'entre eux habitent au deuxième ciel. Ainsi, Paul dit: *«Car nous n'avons pas à lutter contre la chair et le sang, mais contre les dominations, contre les autorités, contre les princes de ce monde de ténèbres, contre les esprits méchants dans les lieux célestes.»* (Éphésiens 6:12 LSG). Ils occupent également la terre et la mer. D'autres ont élu domicile sur terre. La Bible dit: *«Malheur à la terre et à la mer! car le diable est descendu vers vous, animé d'une grande colère, sachant qu'il a peu de temps»* (Apocalypse 12:12 LSG). Quant à Satan, il a établi son quartier général dans la mer, comme on l'a vu précédemment. Ainsi, la deuxième partie dit: *«malheur aux habitants de la terre et de la mer »* (Apocalypse 12:12 LSG).

Ainsi, quand Dieu a donné à Adam autorité sur l'air, la terre et la mer, Il l'a établi comme maître sur tout le royaume de Satan. Dieu vous a aussi fait roi; Il vous a donné l'autorité sur Satan. Commencez à marcher dans cette autorité.

Prière

Que tes oeuvres sont grandes oh Seigneur! Je prie afin que tu puisses me recouvrir de ton esprit de foi et de force afin de pouvoir marcher dans tes promesses. Dans le nom de Jésus j'ai prié.

Application

Quelle sphère occupez-vous actuellement et êtes-vous déterminé à travailler dans l'excellence? Comment planifiez-vous d'atteindre ce but?

Entendre la voix de Dieu

_____

_____

_____

_____

_____

_____

_____

_____

_____

La Bible en un an
Ézéchiel 36 – Ézéchiel 38

Dieu crée Adam comme prêtre

VERSET CLÉ
« Notre Père qui es aux cieux! Que ton nom soit sanctifié; que ton règne vienne » (Matthieu 6:9-10).

Dieu n'a pas seulement fait d'Adam un fils et un roi, mais Il l'a aussi fait prêtre. La Bible dit: *« Jéhovah Dieu prend l'homme et le fait reposer dans le jardin d'Éden, pour le servir et pour le garder ».* (Genèse 2:15, YLT) Eden, comme expliqué dans le volume 1 était le sanctuaire de Dieu sur la terre. La responsabilité d'Adam était d'y servir. Et une partie de sa responsabilité était d'y apporter l'adoration. Ésaïe dit: *«Ainsi l'Éternel a pitié de Sion, Il a pitié de toutes ses ruines; Il rendra son désert semblable à un Éden, Et sa terre aride à un jardin de l'Éternel. La joie et l'allégresse se trouveront au milieu d'elle, Les actions de grâces et le chant des cantiques.»* (Ésaïe 51:3 LSG). Eden était un lieu de culte. Servir à ce titre était l'une des responsabilités d'Adam en tant que prêtre. Adam a donc remplacé Lucifer, non seulement en tant que fils, mais aussi en tant que prêtre. Il était maintenant de la responsabilité d'Adam d'apporter le culte de la création à la demeure de Dieu en Éden.

Votre responsabilité la plus importante en tant qu'enfant de Dieu est l'adoration. Êtes-vous fidèle à cette responsabilité? Avez-vous fixé un jour pour être chez lui chaque semaine? Êtes-vous connecté à sa présence sur votre lieu de travail? Votre vie est-elle un sacrifice vivant pour lui? Demandez dès maintenant au Seigneur de faire de vous un adorateur.

Prière

Alpha et Omega, je désire être un adorateur matin, midi et soir. Je ne cesserai jamais de t'adorer.

Application

Nous pouvons aussi adorer Dieu avec ce qu'il nous a donné. Quelles sont les bénédictions que Dieu vous a donné et avec lesquelles vous allez commencer à l'adorer?

Entendre la voix de Dieu

_____

_____

_____

_____

_____

_____

_____

_____

_____

La Bible en un an
Ézéchiel 39 - Ézéchiel 41

Adam était censé garder le jardin

VERSET CLÉ

« *Notre Père qui es aux cieux! Que ton nom soit sanctifié; que ton règne vienne* » (Matthieu 6:9-10).

Dieu a donné trois ordres à Adam. Premièrement, Il lui a dit de protéger le jardin. La Bible dit: «*L'Eternel Dieu prit l'homme, et le plaça dans le jardin d'Eden pour le cultiver et pour le garder*» (Genèse 2:15 LSG). Le mot utilisé pour «garder» ici est fort. C'est le terme *Shamar* en hébreu, qui signifie «surveiller, garder, protéger». Adam était censé servir de protecteur et de gardien d'Eden, tout comme les Lévites serviraient plus tard de gardiens de la maison du Seigneur (1 Chroniques 9:26; 2 Chroniques 34:13 LSG). Avant de comprendre correctement l'histoire de la création, cette commande était déroutante pour moi. Ma question était: Dieu venait de créer Adam et Eve; il n'y avait personne d'autre au monde. Alors, pourquoi Adam devait-il garder Eden? Eh bien, il y avait un Léviathan en liberté.

En tant que roi, Dieu vous a également donné une sphère de souveraineté. Cela commence par votre vie personnelle, puis votre famille, votre ministère et votre vie professionnelle. Il est de votre responsabilité de protéger ces royaumes contre les intrusions démoniaques. Demandez à Dieu d'ouvrir vos yeux dès maintenant sur les domaines qui peuvent être vulnérables dans votre vie.

Prière

Père éternel je prie que mes yeux spirituels s'ouvrent afin que je puisse détecter tout domaine vulnérable de ma vie. Dans le nom de Jésus j'ai prié.

Application

Comment allez-vous commencer à gérer les responsabilités que Dieu vous a donné afin que son nom soit glorifié?

Entendre la voix de Dieu

_____

_____

_____

_____

_____

_____

_____

_____

_____

La Bible en un an
Ézéchiel 42 – Ézéchiel 45

12 septembre

Adam était censé étendre le territoire

VERSET CLÉ
*« Notre Père qui es aux cieux! Que ton nom soit sanctifié;
que ton règne vienne »* (Matthieu 6:9-10).

L'autre ordre intéressant que Dieu a donné à Adam était: «*Soyez
féconds, multipliez et remplissez la terre*» (Genèse 1:28 LSG). Si Dieu
dit de remplir la terre, cela signifie que la terre n'était pas pleine.
Eden n'était pas le monde entier; ce n'était qu'une partie de celui-
ci. La responsabilité d'Adam était de prendre ce que Dieu avait
commencé en Eden et de l'étendre jusqu'aux extrémités de la
Terre. De même, en tant que roi, Dieu commencera à travailler
dans votre vie – votre Eden personnel. Ensuite, il va prendre ce
qu'il a fait dans votre vie et l'étendre à tout et à tous ceux qui sont
liés à vous. Vous devez vous dire: «Cela commence par moi».
Priez pour que le royaume de Dieu envahisse votre vie
maintenant.

Prière
Seigneur merci de m'avoir rappelé que mes responsabilités sur
terre sont de la remplir et de l'influencer. Ça commence avec moi
au nom de Jésus, amen.

Application

Quelle stratégie allez-vous utiliser afin de multiplier ce que l'Eternel vous a donné?

Entendre la voix de Dieu

_____

_____

_____

_____

_____

_____

_____

_____

La Bible en un an
Ézéchiel 46 - Ézéchiel 48

13 septembre

Adam était censé assujéttir la terre

VERSET CLÉ
« Notre Père qui es aux cieux! Que ton nom soit sanctifié; que ton règne vienne » (Matthieu 6:9-10).

La troisième responsabilité que Dieu a confiée à Adam était d'assujettir la terre. Quand Dieu a créé Adam, il lui a dit: «*Soyez féconds, multipliez, remplissez la terre et l'assujettissez*» (Genèse 1:28 LSG). Le terme "assujettir" est très fort; il signifie «piétiner» ou «amener à la servitude» (Jérémie 34 :11; Esther 7:8, LSG). Soumettre signifie aussi vaincre «la force par la force». En d'autres termes, Dieu savait qu'il y avait un mal relâché dans la création. Mais Dieu a donné à Adam de plus grands pouvoirs. Par conséquent, il avait besoin de «le piétiner» et de l'amener à la servitude. Au fur et à mesure que vous étendez le Royaume, vous devez savoir qu'il y aura des forces opposées qui viendront contre vous, mais «*Celui qui est en vous est plus grand que celui qui est dans le monde*» (1 Jean 4:4 LSG).

Prière

Dieu de la création, je te remercie de m'avoir donné la puissance d'assujettir toutes les forces des ténèbres au nom de Jésus, amen.

Application

Quelles mesures allez-vous mettre en place afin de protéger ce que Dieu vous a donné de toutes attaques sataniques?

Entendre la voix de Dieu

_____

_____

_____

_____

_____

_____

_____

_____

La Bible en un an
Daniel 1 - Daniel 2

14 septembre

Satan est frustré

VERSET CLÉ

« Notre Père qui es aux cieux! Que ton nom soit sanctifié; que ton règne vienne » (Matthieu 6:9-10).

Lorsque Satan s'est rendu compte qu'il avait été remplacé en tant que fils, roi et prêtre, il fut en colère. Il se dit : « Je ne peux pas croire que Dieu m'ait chassé du Ciel, m'ait dépouillé de mon statut de fils, et maintenant il vient sur mon territoire et me fait remplacer!» Satan était en colère, mais il ne pouvait rien y faire. Dieu avait donné à Adam l'autorité sur la terre. Chaque fois que sa voix résonnait dans la création, Satan devait s'enfuir car il y avait un nouveau maître dans la maison. Satan compris que tant qu'Adam était obéissant à Dieu, il ne pourrait pas le toucher. Il était complètement protégé des attaques sataniques, même s'il était sur un territoire tenu par l'ennemi.

La meilleure illustration de la position d'Adam avant sa chute est la façon dont la nation d'Israël était protégée lorsqu'elle marchait dans l'obéissance au Seigneur. Alors que les Israélites traversaient le territoire de Balak, ce roi a eu peur. Il appela un faux prophète du nom de Balaam et a dit : «Maudis-moi ces gens». Après avoir essayé et échoué à plusieurs reprises, Balaam dit: «*La magie ne peut rien contre Jacob, ni la divination contre Israël*» (Nombres 23:23 LSG) «*car Dieu a béni, je ne révoquerai pas sa décision*» (Nombres 23:20 LSG). Les puissances sataniques n'ont pas pu toucher Israël parce qu'elle était bénie. Adam était exactement dans la même position qu'Israël. Après que Dieu l'ait créé, Dieu lui a confié la responsabilité du monde et l'a béni (Genèse 1:28 LSG). Adam était béni et Satan savait qu'il ne pouvait pas annuler la bénédiction qui était sur sa vie. Il ne pouvait absolument pas accéder à Adam même s'il se trouvait sur un territoire tenu par l'ennemi. De même, tant que vous marchez dans l'obéissance à Dieu, Satan n'aura aucune autorité sur vous.

Prière

Seigneur je désire marcher dans l'obéissance. Équipe-moi afin que Satan n'ait point d'autorité sur moi au nom de Jésus, amen.

Application

Dans quel domaine de votre vie pensez-vous que vous auriez pu être plus obéissant à Dieu? Comment pensez-vous totalement vous soumettre à Dieu afin que Satan n'ait aucune emprise sur vous?

Entendre la voix de Dieu

_____

_____

_____

_____

_____

_____

_____

_____

La Bible en un an
Daniel 3 - Daniel 4

15 septembre

Satan élabore une stratégie

VERSET CLÉ

« Notre Père qui es aux cieux! Que ton nom soit sanctifié; que ton règne vienne » (Matthieu 6:9-10).

Dans l'histoire de Balak, le faux prophète lui a conseillé d'envoyer des femmes pour qu'Israël puisse tomber dans l'immoralité sexuelle et l'idolâtrie (Nombres 25:1-3). Balak a suivi son conseil, et les enfants d'Israël ont commencé à pécher. La colère de Dieu s'est alors enflammée contre eux, et le voile de protection a été levé: 24 000 sont morts en un jour (Nombres 25:9). La Bible dit: «*Ce sont justement elles qui, sur le conseil de Balaam, ont entraîné les israélites à commettre l'infidélité envers l'Éternel, dans l'affaire de Peor; alors un fléau a éclaté dans l'assemblée de l'Eternel*» (Nombres 31:16 LSG). C'était une stratégie similaire que Satan a utilisée contre Adam. Il savait que le seul moyen de percer le manteau de protection que Dieu avait placé sur Adam et Eve était de les faire tomber dans la rebellion. S'ils le faisaient, ils seraient vulnérables.

L'obéissance est l'arme la plus importante du combat spirituel! Dieu protégera ceux qui marchent fidèlement avec lui. Priez pour avoir un cœur obéissant maintenant!

Prière

Père, je désire un coeur obéissant. Père, c'est mon désir de t'obéir.

Application

Citez un domaine où vous allez commencer à pratiquer l'obéissance à Dieu? Qu'allez-vous faire pour prouver cela à Satan et à vous-même?

Entendre la voix de Dieu

_____

_____

_____

_____

_____

_____

_____

_____

La Bible en un an
Daniel 5 - Daniel 7

16 septembre

Stratégie #1: La convoitise de la chair

VERSET CLÉ
« Notre Père qui es aux cieux! Que ton nom soit sanctifié;
que ton règne vienne » (Matthieu 6:9-10).

Pour provoquer la chute d'Adam et Eve, Satan utilisa une stratégie à trois volets. Notons qu'il l'utilise encore aujourd'hui. L'apôtre Jean le résume bien. Il dit: «*Car tout ce qui est dans le monde – la convoitise de la chair, la convoitise des yeux et l'orgueil de la vie – ne vient point du Père, mais vient du monde*» (1 Jean 2:16 LSG). Remarquez les trois caractéristiques du système satanique: (1) la convoitise de la chair, (2) la convoitise des yeux, (3) l'orgueil de la vie. Ces trois tentations remontent au jardin d'Eden. Lorsque Satan convainquit Eve de manger du fruit défendu, la Bible rapporte: «*La femme vit que l'arbre était bon à manger, et agréable à la vue, et qu'il était précieux pour ouvrir l'intelligence; elle prit de son fruit, et en mangea*» (Genèse 3:6 LSG).

Tout d'abord, elle vit que l'arbre était «*bon à manger*». L'apôtre Jean appelle cette tentation la «convoitise de la chair». C'est le désir de satisfaire notre corps physique. Il n'y a rien de mal avec les désirs en eux-mêmes, ce sont d'ailleurs des désirs donnés par Dieu. Il n'y a rien de mal à avoir envie de manger, de boire, de dormir ou de se reproduire. Le piège de Satan, cependant, est de nous amener à satisfaire nos désirs légitimes de manières illégitimes. Il n'y a rien de mal à manger, mais le mal réside dans la gourmandise. Il n'y a rien de mal à boire, mais il est mal de tomber dans l'ivresse. Il n'y a rien de mal à dormir, mais il est mal d'être paresseux. Il n'y a rien de mal avec le sexe dans ses propres limites, mais l'immoralité sexuelle est un péché contre son propre corps et contre le Seigneur. Satan a tenté Eve avec le désir naturel de manger, et l'a invitée à le satisfaire d'une façon qui viola la Parole de Dieu. Les appétits naturels qui se transforment en convoitises.

173

Alors, comment aborde t-on la question des convoitises de la chair? On les tue! La Bible dit : « *Faites donc mourir les membres qui sont sur la terre, l'impudicité, l'impureté, les passions, les mauvais désirs, et la cupidité, qui est une idolâtrie»* (Colossiens 3:5 LSG). Mais comment les mettre à mort? En refusant de les nourrir. La Parole dit: «*Mais revêtez-vous du Seigneur Jésus-Christ, et n'ayez pas soin de la chair pour en satisfaire les convoitises»* (Romains 13 :14 LSG). «Ne pas prendre soin de la chair» signifie refuser de lui donner ce qu'elle désire. Affamez votre homme pécheur à mort. Demandez à Dieu de vous donner la force de résister à toute tentation maléfique dans votre corps ou votre esprit au nom de Jésus!

Prière

Père Éternel, je revêts le caractère de mon Seigneur Jésus-Christ; j'ai la maîtrise de soi qui me permet de résister à la convoitise de la chair. Au nom de Jésus, amen!

Application

Dans quel(s) domaine(s) de votre vie sentez-vous devoir vous abandonner totalement au Seigneur aujourd'hui afin d'être libéré de vos habitudes pécheresses?

Entendre la voix de Dieu

_____

_____

_____

_____

_____

_____

_____

_____

La Bible en un an
Daniel 8 - Daniel 12

———

Stratégie #2 La convoitise des yeux

VERSET CLÉ

« Notre Père qui es aux cieux! Que ton nom soit sanctifié;
que ton règne vienne » (Matthieu 6:9-10).

La deuxième stratégie que Satan a utilisée contre Eve était la « convoitise des yeux ». La Bible dit: *«La femme vit que l'arbre était bon à manger et agréable à la vue »* (Genèse 3:6 LSG). La « convoitise des yeux » est l'ensemble des désirs qui naissent dans notre âme à cause de ce que nous avons vu. Un autre terme pour la convoitise des yeux est l'avidité ou la cupidité. Une fois, il y eut un accord entre Lot et Abraham. Le patriarche dit à son neveu: *«Si tu vas à gauche, j'irai à droite. Si tu vas à droite, j'irai à gauche».* Alors la Bible dit : *«Lot leva les yeux et vit toute la plaine du Jourdain, qui était entièrement arrosée»* (Genèse 13:10 LSG). Lot était attiré par la prospérité mais ne savait pas qu'il choisissait Sodome et Gomorrhe. Lorsque vous voulez suivre les autres, tôt ou tard, vous compromettrez vos normes. Plus tard, lorsque Sodome a été capturée, Lot est devenu captif. La convoitise des yeux mène à la captivité. Lorsque vous voudrez acheter tout ce que vous voyez, vous serez bientôt esclave de dettes. La convoitise des yeux mène à la servitude. Comment gérez-vous vos yeux? Job répond: *«J'avais fait un pacte avec mes yeux, et je n'aurais pas arrêté mes regards sur une vierge»* (Job 31:1 LSG). Vous gérez vos yeux en faisant alliance avec eux, en leur faisant savoir qu'ils ne regarderont rien qui sera une avenue de tentation, que ce soit un jeune homme ou une femme, une maison, une voiture, un film, un site Web. Faites alliance avec vos yeux pour vivre dans la pureté et le contentement dès maintenant!

Prière

Seigneur, sanctifie mes yeux aujourd'hui. Aide-moi à vivre avec maitrise et contentement. Au nom de Jésus, amen.

Application

Contre quelles tentations devez-vous faire un pacte avec vos yeux aujourd'hui, afin de vivre pour Dieu totalement?

Entendre la voix de Dieu

_____

_____

_____

_____

_____

_____

_____

_____

_____

La Bible en un an
Osée 1 – Osée 4

18 septembre

Stratégie #3: L'orgueil de la vie

VERSET CLÉ
*« Notre Père qui es aux cieux! Que ton nom soit sanctifié;
que ton règne vienne »* (Matthieu 6:9-10).

La troisième stratégie dont Satan s'est servie contre Adam et Ève était «l'orgueil de la vie» (1 Jean 2:16). La Bible dit: « *La femme vit que l'arbre était bon à manger et agréable à la vue, et qu'il etait precieux pour ouvrir l'intelligence* » (Genèse 3:6 LSG). La sagesse est la connaissance spirituelle. Pourquoi était-ce important pour elle? Parce que le serpent lui avait dit: «*Le jour où vous en mangerez [l'arbre] vos yeux s'ouvriront, et vous serez comme des dieux, connaissant le bien et le mal*» (Genèse 3:5 LSG). Elle voulait manger du fruit afin qu'elle puisse être comme Dieu en connaissant le bien et le mal. Elle n'aurait pas à dépendre de Lui pour lui dire ce qui est bien et ce qui ne l'est pas. Elle serait capable de prendre ces décisions par elle-même. «L'orgueil de la vie», c'est la tentation du pouvoir, la tentation d'être indépendant de Dieu, la tentation de dire: regarde ce que j'ai fait par moi-même. Autrefois, Nebucadnetsar était le roi le plus puissant du monde. Il avait construit Babylone à une hauteur de puissance et de gloire qui n'avait jamais été vue auparavant. Les jardins suspendus de Babylone étaient l'une des sept merveilles du monde. Un jour, alors qu'il était assis sur sa terrasse, il regarda la ville et dit: «*N'est-ce pas ici Babylone la grande, que j'ai bâtie, comme résidence royale, par la puissance de ma force et pour la gloire de ma magnificence*» (Daniel 4:30 LSG). Il n'avait même pas fini de parler quand la main de Dieu tomba sur lui. Il est devenu fou sur le coup. Il fut chassé de son palais, de sa ville et de la société humaine; «*ses cheveux poussaient comme les plumes d'un aigle et ses ongles comme les griffes d'un oiseau* » (Daniel 4:33 LSG) jusqu'à ce qu'il lève les yeux vers le ciel et reconnaisse qu'il y a un Dieu au-dessus de lui qui l'a honoré avec tout ce qu'il a. Il lui a fallu sept

---

177

ans pour apprendre cette leçon. Faites attention à l'orgueil de la vie qui vous fait penser que vous pouvez y arriver sans Dieu.

Adam et Eve se sont livrés aux trois tentations: la convoitise de la chair, la convoitise des yeux et l'orgueil de la vie. Ils ont désobéi à Dieu, en conséquence, ils ont perdu le Royaume des cieux. Laquelle de ces trois tentations est la plus difficile à gérer pour vous ? Priez pour obtenir la grâce dès maintenant.

Prière

Père Éternel, aujourd'hui je viens devant ta face me confesser de la convoitise des yeux, la convoitise de la chair et l'orgueil de la vie. Accorde-moi la grâce dont j'ai besoin pour les surmonter au nom de Jésus, amen.

Application

Quelles stratégies allez-vous mettre en place pour gérer les tentations les plus difficiles pour vous à vaincre?

Entendre la voix de Dieu

_____

_____

_____

_____

_____

_____

_____

_____

_____

La Bible en un an
Osée 5 – Osée 8

Adam commet une trahison

VERSET CLÉ

« Notre Père qui es aux cieux! Que ton nom soit sanctifié; que ton règne vienne » (Matthieu 6:9-10).

Dieu a donné à Adam le gouvernement d'Eden. Cependant, il s'est rangé du côté du rebelle Satan et a commis une trahison contre le gouvernement du Ciel. Dans n'importe quel royaume, le crime ultime est la trahison. Un traître est celui qui reçoit la confiance la plus sacrée de représenter une nation mais choisit de s'y opposer. Adam a reçu le privilège de représenter le gouvernement du Ciel mais s'y est opposé. Adam a été soumis à la peine la plus élevée, qui est la mort. Le Seigneur s'est montré clair dès le début. *«Le jour où tu mangeras du fruit, tu mourras»* (Genèse 2:7). Par le péché d'Adam, la mort est entrée dans la création. Jusque-là, il s'était limité à l'enfer. Maintenant, il est dans le monde d'Adam.

L'obéissance mène à la vie et la désobéissance mène à la mort. Plus vous apprenez à obéir à Dieu, plus sa vie coule en vous et de vous!

Prière

Père Éternel, j'accepte d'obéir à ta Parole. Que ta vie coule en moi et de moi au nom de Jésus, amen.

Application

Faîtes une liste des diiférentes façons dont votre obéissance envers Dieu et les personnes en autorité, vont se manifester dans votre vie.

Entendre la voix de Dieu

_____

_____

_____

_____

_____

_____

_____

_____

La Bible en un an
Osée 9 – Osée 14

Satan devient roi

VERSET CLÉ

« Notre Père qui es aux cieux! Que ton nom soit sanctifié; que ton règne vienne » (Matthieu 6:9-10).

Le jour où Adam a péché, il a remis le royaume à Satan. C'est pourquoi à la tentation de Jésus, il lui montra tous les royaumes du monde et dit: *«Je te donnerai toute cette puissance, et la gloire de ces royaumes; car elle m'a été donnée»* (Luc 4:6 LSG). Satan porte maintenant de nombreux titres le désignant comme un monarque. Jésus l'appelle le souverain de ce monde. Il dit: *«Je ne parlerai plus guère avec vous; car le prince de ce monde vient. Il n'a rien en moi»* (Jean 14:30 LSG). Paul, dans une épître, appelle Satan, le «prince de la puissance de l'air». Il écrit: *«Vous étiez morts par vos offenses et par vos péchés, dans lesquels vous marchiez autrefois, selon le train de ce monde, selon le prince de la puissance de l'air, de l'esprit qui agit maintenant dans les fils de la rébellion»* (Éphésiens 2:1-2 LSG). Plus tard dans son épître, il l'appelle le dieu de cet âge (2 Corinthiens 4:3-4 LSG). Enfin, Jean déclare: *«Nous savons que nous sommes de Dieu, et que le monde entier est sous la puissance du malin»* (1 Jean 5:19 LSG). À cause de sa désobéissance, Adam a perdu le royaume qui lui avait été donné. Dieu vous a confié de nombreux royaumes. Ils incluent votre vie, votre ministère, votre carrière, etc. Vous pouvez garder les royaumes si vous apprenez à marcher dans l'obéissance.

Prière

Seigneur, enseigne-moi à être obéissant comme toi tu es obéissant au Père. Je ne veux pas perdre les royaumes que tu m'as donné à cause de la désobéissance. En ton nom Jésus, je prie, amen.

Application

Combien la désobéissance vous a-t-elle déjà coûté dans le passé? Qu'allez-vous faire différemment dès à présent?

Entendre la voix de Dieu

_____

_____

_____

_____

_____

_____

_____

_____

La Bible en un an
Joël 1- Joël 3

21 septembre

Satan Consolide son Royaume dans les Cieux

VERSET CLÉ
« Notre Père qui es aux cieux! Que ton nom soit sanctifié;
que ton règne vienne » (Matthieu 6:9-10).

Satan, en tant que roi du monde, établit sa forteresse en trois endroits stratégiques: dans les cieux (Ephésiens 6:12), sur la terre et sous les mers (Apocalypse 12:12).

Premièrement, il a établi une forteresse dans les cieux. Nous avons étudié dans le volume 2 que Dieu a des groupes d'anges appelés *dominations, puissances et autorités* qui opèrent dans le deuxième ciel. Ces anges gouvernent la création. Ils supervisent le mouvement des corps célestes, tels le soleil, la lune et les étoiles. Jésus appelle ces anges les puissances des cieux (Luc 21:26, LSG). Satan est un imitateur; il reproduit exactement la même chose. Il a également positionné des entités démoniaques liées aux corps célestes qui sont capables de nuire aux hommes. Les anges déchus sont appelés des puissances astrales. C'est ce que voulait dire l'auteur du Psaume 121 lorsqu'il déclare : *«Pendant le jour le soleil ne te frappera point, Ni la lune pendant la nuit. L'Éternel te gardera de tout mal, Il gardera ton âme»* (Psaumes 121: 6, LSG). Vous avez déjà vaincu tout esprit méchant qui essayent de vous attaquer depuis les lieux célestes au nom de Jésus!

Prière
Dieu Tout-Puissant, merci pour ta protection au matin, à midi et au soir. Amen.

Application

Comment commencerez-vous à appliquer ces vérités dans votre vie afin de pouvoir marcher dans la victoire spirituelle?

Entendre la voix de Dieu

_____

_____

_____

_____

_____

_____

_____

_____

La Bible en un an
Amos 1 - Amos 9

22 septembre

Satan consolide son royaume sur la terre

VERSET CLÉ

« Notre Père qui es aux cieux! Que ton nom soit sanctifié; que ton règne vienne » (Matthieu 6:9-10).

Le deuxième endroit où les démons opèrent est sur la terre. C'est ce que la Bible veut dire quand elle déclare que le monde est sous l'empire du malin. Les démons opèrent dans des endroits arides. Une déclaration au sujet de Babylone se lit ainsi: *«Elle ne sera plus jamais habitée, Elle ne sera plus jamais peuplée; L'Arabe n'y dressera point sa tente, et les bergers n'y parqueront point leurs troupeaux. Les animaux du désert y prendront leur gîte, Les hiboux rempliront ses maisons, Les autruches en feront leur demeure et les boucs y sauteront. Les chacals hurleront dans ses palais, et les chiens sauvages dans ses maisons de plaisance. Son temps est près d'arriver, et ses jours ne se prolongeront pas»* (Esaïe 13:20-22 LSG). D'autres démons habitaient dans les montagnes. En Israël, l'un des hauts lieux maléfiques était le Mont de Basan. Selon un document ancien, c'est l'endroit où les anges déchus ont pour la première fois séduit les femmes pour qu'elles couchent avec eux, lorsqu'ils sont descendus sur terre.

Comme Moïse a vaincu Basan (Josué 13:11-12), vous vaincrez tout esprit de montagne qui s'avance contre vous!

Prière

Père, je viens en prière par le pouvoir qui m'a été donné par Jésus-Christ mon Seigneur et Sauveur, afin de surmonter tout esprit de montagne qui s'avance contre moi. Au nom de Jésus je te prie ainsi, amen.

Application

Quelles barrières personnelles allez-vous mettre en place pour, empêcher les esprits de montagne d'envahir votre vie?

Entendre la voix de Dieu

_____

_____

_____

_____

_____

_____

_____

_____

La Bible en un an
Abdias, Jonas 1 – Jonas 4

23 septembre

Satan consolide son royaume sous la mer

VERSET CLÉ

« *Notre Père qui es aux cieux! Que ton nom soit sanctifié; que ton règne vienne* » (Matthieu 6:9-10).

Même si Satan a une forteresse dans de nombreux endroits du monde, sa base opératoire réelle reste sous la mer; c'est son quartier général. Esaïe dit: «*En ce jour, l'Eternel frappera de sa dure, grande et forte épée Le léviathan, Serpent fuyard, Le léviathan, serpent tortueux; Et Il tuera le monstre qui est dans la mer*». (Esaïe 27:1 LSG). Depuis la mer, le diable influence les royaumes du monde. C'est pourquoi de nombreuses grandes puissances nationales sont associées à la mer. Regardez par exemple cette prophétie sur l'Egypte: «*Fils de l'homme, Prononce une complainte sur Pharaon, roi d'Égypte! Tu lui diras: Tu ressemblais à un lionceau parmi les nations; Tu étais comme un crocodile dans les mers, Tu t'élançais dans tes fleuves, tu troublais les eaux avec tes pieds, tu agitais leurs flots*» (Ezéchiel 32:2 LSG). Le prophète appelle Pharaon le crocodile de la mer. Jérémie pour sa part associe Babylone à la mer lorsqu'il dit: «*Nebucadnetsar, roi de Babylone, m'a dévorée, m'a détruite; Il a fait de moi un vase vide; Tel un dragon, il m'a engloutie, Il a rempli son ventre de ce que j'avais de précieux; Il m'a chassée... C'est pourquoi ainsi parle l'Eternel: Voici, je défendrai ta cause, Je te vengerai! je mettrai à sec la mer de Babylone, Et je ferai tarir sa source*» (Jérémie 51: 34-36 LSG). Dans cette prophétie, l'auteur dépeint le roi comme un monstre marin. La venue du roi d'Assyrie est également comparée à la venue de l'eau. Esaïe dit: «*Voici, le Seigneur va faire monter contre eux Les puissantes et grandes eaux du fleuve Le roi d'Assyrie et toute sa gloire; Il s'élèvera partout au-dessus de son lit, Et il se répandra sur toutes ses rives*» (Ésaïe 8:7 LSG). Enfin, le Psaume 46 compare le rugissement des «nations à celui de la mer». Le verset 3 dit: «*C'est pourquoi nous sommes sans crainte quand la terre est bouleversée, Et que les montagnes chancellent au cœur des mers, Quand les flots de la mer mugissent, écument, se soulèvent jusqu'à faire trembler les montagnes»* (Psaumes 46:2-3, LSG). Puis, plus tard, le Psalmiste dit: «*Des nations s'agitent, des royaumes s'ébranlent; Il fait entendre sa voix: la terre se fond d'épouvante»* (Psaumes 46:7 LSG).

Lorsque les puissances marines essayent de vous attaquer, n'oubliez pas de rester tranquille, et sachez que c'est l'Eternel qui est Dieu. Le ciel est de votre côté.

Prière

Père Eternel, merci de m'avoir donné autorité sur la mer et sur son pouvoir au Nom de Jésus, amen.

Application

Comment la victoire que Dieu vous a donné sur la puissance de la mer vous a-t-elle motivé à L'aimer et à Le servir d'avantage? Comment exprimerez-vous votre gratitude envers Lui aujourd'hui?

Entendre la voix de Dieu

La Bible en un an
Michée 1 - Michée 7

24 septembre

Adam devient un esclave

VERSET CLÉ
« Notre Père qui es aux cieux! Que ton nom soit sanctifié;
que ton règne vienne » (Matthieu 6:9-10).

Satan a compris une loi spirituelle fondamentale: la loi de l'obéissance. La Parole dit: «*Vous êtes esclaves de celui à qui vous obéissez*» (Romains 6:16 LSG). Satan a compris que s'il obtenait l'obéissance d'Adam, celui-ci deviendrait son esclave. Quand Adam a obéi à Satan, c'est précisément ce qui s'est passé. Dieu l'a fait roi, mais en abandonnant sa volonté à Satan, l'homme est devenu esclave du diable. Ce qui vous semble séduisant en ce moment peut être le chemin qui vous mènera à la captivité! Faites attention!

Prière

Seigneur, remplis-moi de tes sept Esprits pour ne pas tomber. En ton Nom Jésus je prie, amen.

Application

Quelles actions allez-vous faire comme acte d'obéissance á Dieu? Faites-le aujourd'hui!

Entendre la voix de Dieu

_____

_____

_____

_____

_____

_____

_____

_____

_____

La Bible en un an
Nahum 1 - Nahum 3

25 septembre

Adam est sujet à la mort

VERSET CLÉ
« Notre Père qui es aux cieux! Que ton nom soit sanctifié;
que ton règne vienne » (Matthieu 6:9-10).

Adam, après sa chute, est devenu sujet à la mort. Or, dans la Bible, la mort n'est pas seulement un état physique (Genèse 5:5 LSG) ou spirituel (Ephésiens 2:1-2, LSG). C'est aussi une personne. Il monte à cheval (Apocalypse 6:8 LSG), il sera jugé dans les derniers jours et jeté dans un étang de feu (Apocalypse 20: 13-14). La mort est l'un des puissants généraux que Satan a dans son camp. En parlant de la victoire du Christ, l'auteur de l'épître aux Hébreux dit: «*Ainsi donc, puisque les enfants participent au sang et à la chair, il y a également participé lui-même, afin que, par la mort, il anéantit celui qui a la puissance de la mort, c'est-à-dire le diable*» (Hébreux 2:14, LSG). Par la mort, Satan a gouverné chaque homme. La Bible déclare que «le salaire du péché, c'est la mort» (Romains 6:23, LSG). Lorsque nous désobéissons à Dieu dans certains domaines de notre vie, nous introduisons la mort dans ce domaine.

Demandez au Seigneur d'ouvrir vos yeux sur les domaines de votre vie où vous ne suivez peut-être pas ses commandements.

Prière

Père Eternel, ouvre mes yeux que je vois les domaines de ma vie qui ne sont pas alignés selon ta Parole. Au Nom de Jésus je te prie, amen.

Application

Aujourd'hui, quels changements planifiez-vous de faire dans les domaines que le Saint-Esprit vous a révélé par la Parole de Dieu?

Entendre la voix de Dieu

_____

_____

_____

_____

_____

_____

_____

_____

La Bible en un an
Habacuc 1 – Habacuc 3

26 septembre

La mort se manifeste comme la guerre

VERSET CLÉ
*« Notre Père qui es aux cieux! Que ton nom soit sanctifié;
que ton règne vienne »* (Matthieu 6:9-10).

Comme nous l'avons souligné précédemment, la mort n'est pas seulement une condition; c'est une personne. L'apôtre Jean le décrit d'une manière assez saisissante. Il dit: *«Je regardai, et voici, parut un cheval d'une couleur pâle. Celui qui le montait se nommait la mort, et le séjour des morts l'accompagnait. Le pouvoir leur fut donné sur le quart de la terre, pour faire périr les hommes par l'épée, par la famine, par la mortalité, et par les bêtes sauvages de la terre»* (Apocalypse 6:8, LSG). Remarquez que la mort chevauche un cheval d'une couleur pâle. Il a un assistant appelé Hadès. Le plus important est, cependant, de savoir comment elle exerce son pouvoir. Elle le fait par *«l'épée, la famine, la mortalité et les bêtes sauvages de la terre»* (Apocalypse 6:8 LSG).

Premièrement, la mort exerce son pouvoir sur terre par l'épée. Cette arme est un instrument de guerre. Par conséquent, selon ce passage, l'esprit de la mort est le principal responsables des différentes guerres qui existent sur terre. Cependant la guerre, n'a pas commencé avec les nations, les villes ou les communautés, mais avec les individus. En effet, la première manifestation de la guerre s'est produite dans la famille d'Adam. Son premier fils Caïn était jaloux du plus jeune Abel, il s'est mis en colère contre lui. À la fin, Caïn a tué Abel (Genèse 4: 1-16 LSG). L'esprit de mort opère beaucoup à travers les guerres, lesquelles peuvent prendre la forme de discordes conjugales, de rivalités fraternelles, de divisions dans les églises, de révoltes politiques, etc.

Révoquez l'esprit de mort sur votre vie, votre famille, votre église, votre nation dès maintenant!

Prière

Dans le Nom Puissant de Jésus-Christ mon Sauveur et Seigneur, je réfute tout esprit de mort sur ma vie, ma famille, mon église et ma nation, amen.

Application

Pendant que vous détruisez l'esprit de mort sur votre vie, avec qui avez-vous décidé de faire la paix, dans votre famille, à la maison ou sur votre lieu de travail?

Entendre la voix de Dieu

_____

_____

_____

_____

_____

_____

_____

_____

_____

La Bible en un an

Sophonie 1 – Sophonie 3, Aggée 1 – Aggée 2

27 septembre

La mort se manifeste par la pauvreté

VERSET CLÉ

« Notre Père qui es aux cieux! Que ton nom soit sanctifié; que ton règne vienne » (Matthieu 6:9-10).

Deuxièmement, la mort exerce son pouvoir à travers la pauvreté. Le texte dit: «*Le pouvoir leur fut donné* [La mort et Hadès]*sur le quart de la terre, pour faire périr les hommes par l'épée, par la famine, par la mortalité, et par les bêtes sauvages de la terre*» (Apocalypse 6:8 LSG). Soulignez le mot «famine». Dans ce contexte, il peut être défini comme une extrême pauvreté. Lorsque les gens sont pauvres au point de ne plus pouvoir manger, ils touchent donc le fond. En effet, dans de nombreuses régions du monde aujourd'hui, les gens vivent avec moins d'un dollar par jour. Ces malheurs sont aussi des manifestations de la mort. Adam a été créé dans la richesse. Il avait tout ce dont il avait besoin pour sa subsistance (Genèse 1:29 LSG). Il avait même l'or le plus fin à sa disposition (Genèse 2:11 LSG). Mais le jour où il est mort, le Seigneur a dit: «*Le sol sera maudit à cause de toi. C'est à force de peine que tu en tireras ta nourriture tous les jours de ta vie, il te produira des épines et des ronces, et tu mangeras de l'herbe des champs. C'est à la sueur de ton visage que tu mangeras du pain, jusqu'à ce que tu retournes dans la terre*» (Genèse 3:17–19, LSG). Vous devez vous opposer au manque de productivité dans votre vie. C'est une manifestation de la mort. Tout ce que vous touchez doit prospérer.

Je déclare la bénédiction de Joseph sur votre vie: vous serez bénis à la maison, et vous serez bénis dans les champs. (Genèse 39:6, LSG).

Prière

Dans le Nom de Jésus, je révoque tout esprit de pauvreté opérant dans ma vie, amen.

Application

Quelles responsabilités prendrez-vous pour que la mort, quelque soit sa forme, ne puisse plus opérer dans votre vie?

Entendre la voix de Dieu

_____

_____

_____

_____

_____

_____

_____

_____

_____

La Bible en un an
Zacharie 1 – Zacharie 7

La mort se manifeste par des catastrophes naturelles

VERSET CLÉ

« Notre Père qui es aux cieux! Que ton nom soit sanctifié; que ton règne vienne » (Matthieu 6:9-10).

Troisièmement, l'esprit de mort opère par le biais de «catastrophes naturelles». Encore une fois, le texte relate ce qui suit: «*Le pouvoir leur fut donné pour faire périr les hommes par l'épée, par la famine, par la mortalité, et par les bêtes sauvages de la terre*» (Apocalypse 6:8, LSG). Prêtez attention à l'expression «bêtes sauvages de la terre». L'esprit de la mort peut utiliser les animaux pour tuer les hommes. En d'autres termes, il peut utiliser la nature contre les enfants de Dieu. De nombreuses catastrophes naturelles ne sont pas du tout naturelles. Lorsque Jésus-Christ était sur la mer de Galilée en route pour délivrer un homme possédé par des démons, une tempête se leva soudainement, menaçant de faire chavirer le bateau. Pendant que les disciples paniquaient, Jésus dormait. La Bible dit: «*Alors il se leva, menaça les vents et la mer, et il y eut un grand calme* » (Matthieu 8:26 LSG). Remarquez que Jésus a menacé le vent. En d'autres termes, Jésus avait perçu une force démoniaque.

Que tout vent maléfique qui souffle sur votre vie cesse maintenant au nom de Jésus!

Prière

Dans le Nom de Jésus-Christ, que tout vent maléfique qui souffle sur ma vie se taise maintenant, amen.

Application

Contre quel «désastre naturel» plannifiez-vous de vous battre maintenant? Priez que tout désastre qui menace votre vie se taise maintenant, au nom de Jésus.

Entendre la voix de Dieu

_____

_____

_____

_____

_____

_____

_____

_____

_____

La Bible en un an
Zacharie 8 – Zacharie 14

29 septembre

La mort se manifeste par la maladie

VERSET CLÉ
« Notre Père qui es aux cieux! Que ton nom soit sanctifié; que ton règne vienne » (Matthieu 6:9-10).

De toutes les méthodes que l'esprit de mort utilise pour opérer dans le monde, sa préférée est la maladie. Bildad, l'un des amis de Job, décrivait la maladie qui l'avait frappé en ces termes: *«Les parties de sa peau sont l'une après l'autre dévorées, Ses membres sont dévorés par le premier-né de la mort»* (Job 18:13 LSG). Remarquez que la Bible appelle la maladie *«le premier-né de la mort»*. Dans les temps anciens, un père pouvait avoir beaucoup d'enfants, mais le premier-né était son bras droit (Psaumes 89:27). En d'autres termes, la mort opère de différentes manières, mais sa façon préférée est la maladie. Adam a été créé avec une santé parfaite, mais est devenu sujet à la maladie à cause de sa désobéissance. La vie qu'Adam avait dans son corps résista longtemps à la mort, mais il finit par succomber à l'âge de 930 ans. Même aujourd'hui, certaines personnes tombent malades à cause du péché. La Bible dit que beaucoup de gens prennent la sainte cène d'une manière indigne. *«C'est pour cela qu'il y a parmi vous beaucoup d'infirmes et de malades, et qu'un grand nombre sont morts»* (1 Corinthiens 11:29–30, LSG). Êtes-vous malade? Demandez au Seigneur de vous montrer si cette maladie est liée à un péché personnel ou générationnel?

Si le Seigneur vous montre quelque chose, demandez-lui pardon et proclamez votre guérison!

Prière
Seigneur, pardonne mes péchés et les péchés de mes ancêtres. Je proclame ma guérison aujourd'hui au Nom de Jésus, amen.

Application

Écrivez des péchés qui auraient pu faire entrer la maladie dans votre vie, et commencez à demander à Dieu de vous pardonner et de vous nettoyer aujourd'hui.

Entendre la voix de Dieu

_____

_____

_____

_____

_____

_____

_____

_____

_____

La Bible en un an
Malachie 1 – Malachie 4

30 septembre

La postérité de la femme vaincra

VERSET CLÉ
« Notre Père qui es aux cieux! Que ton nom soit sanctifié;
que ton règne vienne » (Matthieu 6:9-10).

Satan a causé le péché d'Adam. En conséquence, lui et ses
enfants sont devenus captifs de la mort. Celle-ci se manifeste de
différentes manières: par la guerre, la pauvreté, les catastrophes
et la maladie, etc. Satan pensait avoir déjoué et piétiné le plan de
Dieu pour l'humanité. Mais il s'est lamentablement trompé. Le
Seigneur affirme ceci en s'adressant au serpent: *«Je mettrai inimitié*
entre toi et la femme, entre ta postérité et sa postérité: celle-ci t'écrasera la
tête, et tu lui blesseras le talon» (Genèse 3:15 LSG). Ainsi, le Seigneur
promet que la postérité de la femme finira par écraser la tête de
Satan!

Prière
Seigneur Dieu, oui en effet, dans le Nom de Jésus j'ai vaincu le
dragon par le sang de l'Agneau et par la parole de mon
témoignage, amen.

201

Application

Faites une liste des différents domaines de votre vie où vous allez commencer à pratiquer l'obéissance totale à Dieu afin d'écraser la tête de Satan.

Entendre la voix de Dieu

_____

_____

_____

_____

_____

_____

_____

_____

La Bible en un an

Matthieu 1 - Matthieu 4

épilogue

Nous prions que ce journal a transformé votre esprit, votre cœur et votre vie dans le Seigneur. Vous avez été créé à son image pour refléter son esprit, pour être un citoyen de son Royaume et régner à ses côtés. Nous espérons que cette expérience de journal de 365 jours vous a rapproché du Roi du Royaume. Nous souhaitons que vous continuiez à faire des efforts dans votre vie quotidienne tout en apprenant davantage sur le Royaume, ses principes, ses lois, ses habitants, son domaine, son souverain. Apprenons comment nous pouvons être de bons citoyens du Royaume Céleste, et comment nous pouvons lui être utiles dès maintenant et pour l'éternité. Au Nom de Jésus, nous prions.

« Que le Seigneur vous bénisse et vous garde;
Qu'il fasse briller sa face sur vous;
Qu'il vous accorde sa grâce ;
Que le Seigneur tourne son visage vers vous
et vous donne la paix. »

(Nombres 6:24-25,)

Biographie

Gregory Toussaint est le pasteur titulaire du Tabernacle de Gloire à Miami. Cette église, qui compte plus de 12 campus dans différentes villes du monde. Pasteur Greg est connu pour être un talentueux enseignant et il prêche chaque semaine en quatre langues, le créole, l'anglais, le français et l'espagnol. Il est également un écrivain prolifique qui a produit plus de 30 ouvrages. Dix d'entre eux ont été des livres à succès sur Amazon. Gregory Toussaint est également un évangéliste qui organise des conférences et des croisades à grande échelle dans différentes parties du monde. Il agit puissamment dans le surnaturel, en particulier dans les domaines de la guérison, de la délivrance et du prophétique. Pasteur Toussaint est également impliqué dans l'humanitaire en Haïti, en République Dominicaine et au Ghana. Il est diplômé en commerce, en droit et en théologie. Il est marié à Patricia Toussaint et a deux enfants. Son but dans la vie est de montrer la gloire de Dieu partout où il va.

J'espère que vous avez apprécié cet ouvrage!
Pour en savoir plus sur mes livres, rendez-vous sur le site ci-dessous : https://bit.ly/3f54sJq

Témoignages
Si ce livre a eu un impact sur votre vie,
Veuillez nous faire part de votre témoignage.
Pastor G Library

E-mail:
pastorgslibrary@gmail.com

Site internet
http://www.gregorytoussaint.org

Adresse postale
990 NE 125th Street Suite 200
North Miami, FL 33161

Si vous êtes dans la région de Miami un week-end,
rendez-nous visite.

Tabernacle de Gloire
E-mail: contact@tabernacleofglory.net
Site Web : www.tabernacleofglory.net
990 NE 125th Street, Suite 200
North Miami, FL 33161
(305) 899-0101

Made in the USA
Las Vegas, NV
03 August 2021